# MIRA NA INDEPENDÊNCIA FINANCEIRA

# EDUARDO MIRA

## MIRA NA INDEPENDÊNCIA
# FINANCEIRA
## TRANSFORMANDO SONHO EM PROPÓSITO

Prefácio de
NATHALIA ARCURI

AGIR

Copyright © 2023 by Eduardo Mira

Direitos de edição da obra em língua portuguesa no Brasil adquiridos pela Agir, selo da EDITORA NOVA FRONTEIRA PARTICIPAÇÕES S.A. Todos os direitos reservados. Nenhuma parte desta obra pode ser apropriada e estocada em sistema de banco de dados ou processo similar, em qualquer forma ou meio, seja eletrônico, de fotocópia, gravação etc., sem a permissão do detentor do copirraite.

EDITORA NOVA FRONTEIRA PARTICIPAÇÕES S.A.
Av. Rio Branco, 115 — salas 1201 a 1205 — Centro — 20040-004
Rio de Janeiro — RJ — Brasil
Tel.: (21) 3882-8200

Imagem de capa: Ilana Bar/Estúdio Garagem.

Dados Internacionais de Catalogação na Publicação (CIP)

M671m  Mira, Eduardo
Mira na independência financeira: transformando sonho em propósito / Eduardo Mira; prefácio Nathalia Arcuri. — 1.ª ed. — Rio de Janeiro: Agir, 2023.
15,5 x 23 cm

ISBN: 978-65-5837-150-2

1. Autoajuda . 2. Economia . I. Título.

CDD: 793.7
CDU: 793.7

André Queiroz — CRB-4/2242

CONHEÇA OUTROS LIVROS DA EDITORA:

Para Joana e Salvador
Mira, meus pais,
minhas raízes, a quem
devo tudo o que sei
sobre amor, coragem
e integridade.

Para meus irmãos,
Leonardo e Heitor,
companheiros de vida,
de lutas e conquistas.

Para Marta, Beatriz
e Alice, mulheres da
minha vida, meu porto
seguro e razão de viver.

Feliz aquele que transfere o que sabe
**E APRENDE O QUE ENSINA**
Cora Coralina

# SUMÁRIO

**13** Prefácio

**17** Prólogo

**21** Introdução

**25** O início da jornada

**TEMPO DE PLANTAR**

**31** Capítulo 1
Minha única opção era sobreviver

**41** **Capítulo 2**
Descobrindo o mundo dos investimentos

**51** **Capítulo 3**
A paixão por projetos de tecnologia

**63** **Capítulo 4**
A pergunta que mudou tudo

**71** **Capítulo 5**
Nada é do dia para a noite

**87** **Capítulo 6**
Sorte é a oportunidade que te encontra preparado

**103** **Capítulo 7**
Banco do Brasil e a jornada rumo à independência financeira

**TEMPO DE COLHER**

**115** **Capítulo 8**
Os desafios de ser um investidor profissional

**127** **Capítulo 9**
Sobre aprender, empreender e avançar

**137** **Capítulo 10**
Amizade boa é a que te desafia a evoluir todos os dias

**145** **Epílogo**

**149** **Dica-bônus**

**151** **Agradecimentos**

**153** **Diciomira**
Glossário de termos do mercado

# PREFÁCIO

O convite para escrever este prefácio, além da honra e da emoção, me trouxe inúmeras boas lembranças do meu querido amigo e companheiro de missão Eduardo Mira. Poucas vezes tive a oportunidade de testemunhar de perto uma jornada tão surpreendente de alguém que enfrentou as adversidades e desafiou as expectativas, transformando a vida de milhares de pessoas e, claro, a dele próprio. "Professor" aqui não diz respeito apenas à paixão e à vocação indiscutível. Virou nome.

O Professor Mira é o exemplo vivo de que a educação financeira é uma poderosa ferramenta. Aliás, ferramenta, não: um portal para uma realidade completamente diferente.

Seu caminho de superação e sucesso, partindo de uma infância humilde no Morro do Turano, no Rio de Janeiro, enfrentando a violência e as limitações que assolam tantas comunidades, até se tornar um empresário e investidor bem-sucedido, é a gota de esperança que muitas vezes nos falta na vastidão da desigualdade brasileira. Quando conheci o Mira, em meados de 2017, ele logo me confidenciou que tinha o sonho de ser professor de multidões, como eu era naquela época. Não era a primeira vez que alguém dotado de tanto conhecimento técnico sobre o mercado de capitais, day trade e análises complexas de cenários econômicos me puxava pra uma conversa daquele tipo.

Muitos querem alcançar multidões (e faturar grandes quantias de dinheiro), mas poucos estão dispostos a fazer isso priorizando transformar a vida do aluno, ainda que o lucro fique em segundo plano. O Mira era uma dessas exceções e eu podia sentir. Algo que habitava em mim refletia nas palavras dele e principalmente nas suas ações. "Esse cara é um apaixonado pela missão", pensei.

Antes de começar a dar aulas aos Me Poupeiros e ganhar a fama de professor mais amado do Brasil (e quero deixar registrado que fui a primeira aluna a dizer isso), Mira foi o meu professor mais amado.

Como sua aluna de renda variável, disposta a incluir boas ações na carteira do planejamento financeiro pessoal, eu o questionava sobre tudo. Contestava vários de seus ensinamentos e, no fim, sempre era convencida pela voz da razão, como você também será ao ler este livro.

O Profe Mira pra mim é uma bússola que aponta sempre o caminho correto. Na rota de fuga da situação de pobreza na qual cresceu e da qual foi capaz de tirar toda a sua família, alguns elementos lhe iluminaram o caminho, e é neles que nos encontramos para construir o futuro que desejamos para o Brasil:

- honestidade
- amor e união da família
- sede de justiça social
- busca incansável pelo conhecimento, seja nas teorias, seja na experiência de um day trade fracassado.
- vontade de compartilhar

Neste livro, você encontrará não apenas a trajetória pessoal e profissional do Profe, mas também lições valiosas e genuínas sobre educação financeira e crescimento pessoal. Cada capítulo traz reflexões e *insights* que podem te ajudar a enfrentar os próprios desafios e alcançar seus objetivos. A história do professor é repleta de lutas, desafios e conquistas, mas também de uma paixão incansável por compartilhar o que viveu e aprendeu.

O Mira inspira e ensina pelo exemplo, a ferramenta mais poderosa que eu conheço.

E nem cheguei a citar que o autor desta obra é analista CNPI, tem MBA em gestão de investimentos e a coisa toda. Não vejo necessidade. Eduardo é muito maior que os títulos que carrega. O que vai te impressionar ao longo deste livro, para além dos dividendos, do início em um bancão e da trajetória maravilhosa construída ao lado da Marta, é a resiliência, o respeito aos valores pessoais e um amor profundo pelas pessoas.

Que este livro seja o guia que faltava em sua vida para você passar a acreditar, então agir e enfim transformar tudo ao seu redor.

Da eterna aluna do professor Mira,
Nathalia Arcuri

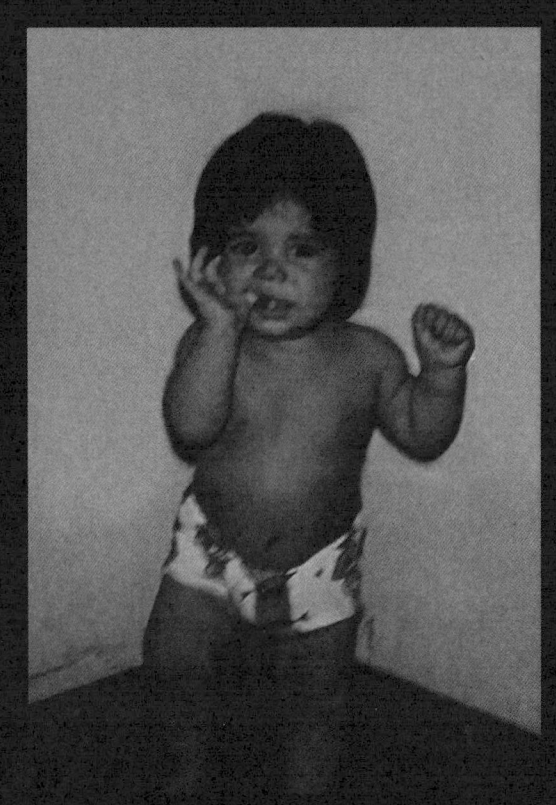

# PRÓLOGO

Quase quatro décadas separam essas duas imagens.

Na primeira, Eduardo Mira, aos três anos, numa casa de quatro cômodos, dentro da comunidade do Morro do Turano, no Rio Comprido, Zona Norte do Rio de Janeiro. Um garoto que atravessaria a infância e a juventude em um ambiente extremamente humilde, permeado pela violência que as comunidades de periferia conhecem bem. Alguém que perderia alguns amigos para o tráfico de drogas e para as estatísticas da violência urbana do Rio de Janeiro, a Cidade Maravilhosa cujas maravilhas não estavam disponíveis para ele.

Na segunda imagem, o empresário e investidor bem-sucedido, professor Eduardo Mira, no palco do Miraday,[1] mal cabendo em si de tanta alegria. Nesse dia, ele comemorava, com algum atraso, seu aniversário de quarenta anos, realizando o

---

1| O Miraday foi o nome carinhoso com que os alunos da Turma 1 da Mentoria Mira na Independência batizaram o evento de encerramento do curso. O encontro aconteceu em São Paulo, em outubro de 2019, e teve participação de alunos do Brasil todo.

projeto de uma vida: se consolidar como mentor de educação financeira.

Presentes ao evento, profissionais do mercado financeiro que se tornaram grandes amigos ao longo de vinte anos de trabalho, e os alunos da primeira turma da mentoria Mira na Independência.

Os quarenta anos tinham sido completados em maio, mas a comemoração — primeira festa de aniversário da vida — foi em outubro, no evento que foi o divisor de águas e o início de uma nova história.

***

Hoje, enquanto inicio nestas páginas a realização de mais um sonho — escrever um livro —, olhar para essas duas fotos me enche de gratidão e alegria pela jornada que me trouxe até aqui.

Espero que minha história inspire você a perseguir seus sonhos com obstinação e coragem. Mas, sobretudo, que ela desperte a sede por buscar o conhecimento necessário para realizar esses sonhos.

Lembre-se de que não se trata somente de ter dinheiro, trata-se de tornar-se a sua melhor versão.

Um abraço,<br>Eduardo Mira

# INTRODUÇÃO

A aula ao vivo da quarta-feira, 13 de julho de 2022, mal havia começado e mais de quatro mil alunos estavam on-line e agitados no chat. Todo começo de turma é assim: pessoas de todas as origens e idades, ansiosas por aprender. Isso é o que me motiva, pois não se trata apenas de ensiná-las a investir. Naquela tela, os alunos projetam seus sonhos, expectativas e muita esperança de transformação.

Para ensinar a usar o home broker da corretora de investimentos, compartilhei minha tela, onde aparecia um saldo de seis dígitos. Enquanto eu explicava aos alunos que tinha colocado um pouco de dinheiro nessa conta para testar a plataforma junto com eles, um comentário engraçado no chat me fez viajar no tempo: "Meta de vida: ter mais de quinhentos mil reais na conta e poder dizer que é só um pouquinho de dinheiro."

A frase me fez pensar em toda a minha trajetória até ali, e foi inevitável sentir orgulho da minha história. De fato, o saldo exibido na tela do home broker era apenas uma pequena parte do patrimônio que construí em mais de duas décadas, mas o verdadeiro valor daquilo eu nunca vou conseguir expressar em números.

QUEM CONHECE DE PERTO A PRIVAÇÃO, COMO EU CONHECI, SABE QUE NÃO SE TRATA APENAS DE DINHEIRO. É UMA QUESTÃO

# DE DIGNIDADE, RESPEITO E OPORTUNIDADE.

A história que me fez chegar à independência financeira começou em 1996, mais precisamente no dia 4 de março, dentro do ônibus 607, linha Estácio-Cascadura. Mais uma terça-feira comum para milhões de cariocas das periferias do Rio de Janeiro, mas não pra mim.

Nem mesmo o calor escaldante de quase quarenta graus tiraria o prazer de conquista, amadurecimento e vitória que eu estava experimentando pela primeira vez. Dentro daquele ônibus, ao lado da minha mãe, eu era a imagem da alegria. Estávamos indo abrir a minha primeira conta bancária!

Para um garoto de 17 anos, cheio de sonhos, era como se um portal estivesse se abrindo, e através dele eu iria mudar a vida da minha família e tirá-la da pobreza. Era só nisso que eu pensava.

O dinheiro para abrir a conta eu tinha conseguido lavando carros de conhecidos. E não era lava-rápido, não, era cara de pau mesmo. Eu batia na porta das pessoas e me oferecia para lavar o carro delas. A ideia sempre foi juntar dinheiro para começar a investir.

Eu não sabia nada sobre investimentos, mas sabia que precisava começar a juntar uma grana para poder mudar de vida. Isso já fazia parte dos meus planos desde muito cedo.

Em 1989, assisti a *Wall Street: poder e cobiça*, provavelmente na Tela Quente ou SuperCine, na programação noturna da Rede Globo. Nesse filme, Michael Douglas faz o papel de um megainvestidor. Eu tinha apenas dez anos, mas ali começou o meu fascínio pela Bolsa de Valores.

Eu não entendia como aquele mundo mágico das finanças funcionava, mas uma coisa deduzi logo de cara: investir em Bolsa de Valores era o caminho para ficar milionário.

A partir daí, sempre que eu via filmes que mostravam Wall Street, minha imaginação voava. A cabeça daquele menino de favela sonhador, borbulhando de ideias, já se imaginava numa vida de multimilionário.

# O INÍCIO DA JORNADA

Quando chegamos à agência 0448 do Bradesco, na rua Haddock Lobo, no bairro do Estácio, eu me sentia incrível.

Não entendia de investimentos, mas o principal eu tinha: o meu porquê.

Após 15 minutos de conversa com o gerente da agência, e com a assinatura da minha mãe em alguns documentos, eu me tornei o feliz proprietário de uma caderneta de poupança!

Naquele momento, eu ainda não sabia que a caderneta de poupança não é exatamente um investimento. E não era o único que não sabia disso. Minha mãe, dona Joana, mulher simples da periferia, também estava feliz e com o sentimento de missão cumprida, pois entendia que ali eu estava iniciando um caminho que me permitiria ter tudo o que ela não pôde ter e nem proporcionar aos filhos.

Na época em que abri minha caderneta de poupança, o Plano Real tinha dois anos de existência.

O plano econômico do governo Itamar Franco, lançado em 1.º de julho de 1994, sob o comando do então ministro da Fazenda, Fernando Henrique Cardoso, tinha deslanchado em seu primeiro ano e, apesar de alguns percalços, seguia apresentando resultados positivos na estabilização da economia e no controle da inflação que, na década anterior, tinha chegado a registrar assustadores 2.500%.

O êxito na condução do Plano Real ajudou Fernando Henrique Cardoso a se eleger presidente da República, e em 1996, já em sua gestão à frente do Executivo, a inflação ficou em 9,12%, a menor taxa desde 1979, ano em que nasci.

Também em 1996, o rendimento nominal da poupança foi de 16,34% e, descontada a inflação, isso significava um rendimento real de pouco mais de 6% ao ano.

O governo sempre incentivou essa modalidade de aplicação, pois 65% dos valores depositados em poupança são destinados para o financiamento de crédito habitacional. Se não houvesse esse recurso da caderneta de poupança, seria necessário que o governo aumentasse ainda mais sua dívida pública, a fim de viabilizar políticas habitacionais.

Naquele momento, as cadernetas de poupança já somavam 72 bilhões de reais em depósitos. Mas os fundos de investimento começavam a se popularizar, tornando-se mais acessíveis aos investidores e passando a representar uma alternativa.

Era uma época em que eu estava realmente dedicado a entender como multiplicar o pouco dinheiro que conseguia guardar, e já havia entendido que, com a rentabilidade da caderneta de poupança, precisaria de mais de uma vida até conseguir enriquecer.

Eu estava decidido, e não me contentaria com tão pouco.

# SAIR DA POBREZA ERA MINHA META DESDE A INFÂNCIA, E EU ENTENDIA QUE, ATÉ AQUELE MOMENTO, EU

// **TINHA SIDO UM SOBREVIVENTE. MAS, COM DETERMINAÇÃO, PODERIA ME TRANSFORMAR EM UM VENCEDOR.**

# TEMPO DE PLANTAR

# CAPÍTULO 1
## MINHA ÚNICA OPÇÃO ERA SOBREVIVER

O Morro do Turano fica entre a Tijuca e o Rio Comprido, Zona Norte do Rio de Janeiro. É um dos lugares onde a pobreza tem como cenário e contraste a belíssima vista do bairro da Tijuca e da baía de Guanabara e, muito provavelmente, a mais deslumbrante e privilegiada vista do pôr do sol no Rio de Janeiro.

Uma das primeiras casas do local, atualmente conhecido como Complexo do Turano, foi da minha avó Irene, na década de 1940.

Dona Irene era a típica mulher brasileira de baixa renda, lutadora, resiliente e obstinada. Mesmo com uma grave deficiência nas duas mãos, ela nunca deixou de capinar a terra e trabalhar duro para criar seus cinco filhos, entre eles a minha mãe.

A vida nunca foi fácil para vó Irene, e o alcoolismo do meu avô tornava tudo ainda mais desafiador. Era uma época em que a alimentação da minha mãe e de seus irmãos era obtida dos restos que vó Irene recolhia ao fim da feira.

Quando minha mãe tinha nove anos, a situação da minha avó era muito crítica e dona Irene tomou a dolorosa decisão de mandar os filhos para casas de conhecidos, pois era a única forma de garantir que continuassem tendo o que comer.

Minha mãe foi morar com dona Lucinda, uma senhora para quem o meu avô havia trabalhado como pintor e que acabou se tornando amiga da família.

Dona Lucinda morava no Rio Comprido, na rua Campos da Paz, no edifício Ruth, coincidentemente o nome da minha avó paterna. Minha mãe morou com dona Lucinda dos nove aos 18 anos e ajudava nos serviços domésticos em troca de moradia e alimentação.

Hoje em dia, isso nem sequer seria permitido, mas eram outros tempos e, na verdade, era a única opção disponível para a minha avó. Vivendo na mais absoluta miséria, ela não tinha como alimentar os filhos, e deixá-los com parentes e conhecidos foi uma medida extrema, sim, mas que eu muito valorizo. É preciso muita coragem para fazer algo tão drástico.

Foi essa decisão dela que possibilitou que minha mãe e seus irmãos pudessem continuar indo para a escola, escapando do destino da maioria das crianças que viviam em condição de vulnerabilidade e acabavam largando os estudos para trabalhar.

Foi na escola que meus pais se conheceram e namoraram durante toda a adolescência. Aos 18 anos, eles se casaram e foram morar na Estrada do Sumaré, que nessa época, início dos anos 1970, nem era pavimentada. Era uma região muito rudimentar, praticamente inabitada, com umas poucas casas bem distantes umas das outras, e ali, com mais algumas famílias humildes, seu Salvador Mira e dona Joana começaram a nossa história.

A Estrada do Sumaré é conhecida por ser o endereço da residência oficial do arcebispo da cidade, um casarão do século XIX, propriedade da Arquidiocese do Rio de Janeiro. A casa já hospedou alguns papas em visita ao Brasil, e até hoje minha mãe conta com orgulho sobre o dia em que João Paulo II passou bem na nossa porta, rumo ao casarão do arcebispo.

Foi na casinha humilde da Estrada do Sumaré que nasceu nossa família. Leonardo em 1977, eu em 1979 e Heitor em 1984.

Apesar da pobreza extrema, eu e meus dois irmãos tivemos uma infância feliz e típica de garotos da periferia. Fomos criados soltos, correndo na lama, jogando bola, soltando pipa e improvisando brinquedos com qualquer coisa que nos caísse nas mãos.

A união sempre foi a tônica em nossa família, e, num lugar onde tudo faltava, meus pais se empenharam para que duas coisas estivessem sempre disponíveis em abundância: amor e acesso à educação.

Como toda família de comunidade carente, nós passamos por muitas necessidades e humilhações, mas isso forjou meu caráter. Posso afirmar, com toda certeza, que muito do que sou hoje é resultado de ter vivido na pobreza. A vontade obstinada de sair daquela condição me deu foco e disciplina.

Quando decidi que precisava aprender a multiplicar meu dinheiro, eu nem imaginava que o nome do meu projeto era independência financeira. Tudo o que eu sabia era que não iria passar a vida dividindo com meus irmãos um colchão velho no chão da sala, dormindo com a cabeça encostada na porta da geladeira e me cobrindo com forro de cortina doado por alguém.

O dinheiro era muito curto. Meu pai havia perdido o emprego no Banco Nacional e, desde então, trabalhava como atendente na papelaria do sr. João, um português que se estabeleceu na região do Rio Comprido. Era o seu pequeno salário de balconista que nos sustentava.

A renda da família só dava para o essencial: comida, transporte e luz. A água vinha de uma nascente no morro, pois essa região, até hoje, não é servida pelo abastecimento da rede pública. Era tudo bastante precário no pequeno barraco, com goteiras nos dias de chuva e camundongos que eu, moleque, tentava matar, e rabiscava um tracinho na parede toda vez que conseguia. E não foram poucas vezes! Eu era bom naquilo.

Eram tempos muito difíceis, e só não passamos fome porque minha avó Ruth, mãe do meu pai, uma pernambucana forte e arretada, dividia conosco o pouco que tinha. O sustento de minha avó vinha da pensão do INSS que ela recebia desde a morte do marido, em 1988. Era pouca coisa. Ainda assim, foi o que nos salvou em várias ocasiões.

# MESMO COM TODA A ADVERSIDADE, DE UMA COISA MEU PAI NÃO ABRIA MÃO: EU E MEUS IRMÃOS

# TÍNHAMOS EDUCAÇÃO DE QUALIDADE.

Enquanto ele trabalhava no Banco Nacional, eu e meu irmão Leo estudávamos no colégio Santa Doroteia, uma escola particular centenária e muito tradicional no bairro do Rio Comprido. Não era barato estudar ali, mas meus pais faziam milagre com o orçamento doméstico, pois nossa educação era a prioridade.

Estudamos no Santa Doroteia até a quinta série, mas, depois que meu pai perdeu o emprego no banco, foi impossível continuar pagando a escola, então ele se humilhava por bolsas de estudo para nós três a cada novo ano letivo.

E foi assim que passamos a estudar no Instituto Padre Leonardo Carrescia, tradicional colégio da Tijuca, pertencente à Congregação das Irmãs Franciscanas Alcantarinas. O colégio funcionou por 73 anos e encerrou suas atividades recentemente, no final de 2019 (no início de 2020, o prédio foi adquirido pela UERJ para ser a nova sede do Colégio de Aplicação — Cap-Uerj). Mas a nossa história com o Instituto Carrescia terminou bem antes, em 1993, quando irmã Angélica, a freira que dirigia o colégio, disse ao meu pai que já éramos suficientemente crescidos para trabalhar e, portanto, não teríamos mais bolsa de estudos.

Foi um momento muito triste para seu Salvador, porque para ele a educação era a coisa mais importante da vida. Ele a via como a garantia de que os filhos, romperiam o ciclo de miséria e não passariam fome.

# MAS A HISTÓRIA DE QUEM NASCE POBRE É FEITA DE DAR A VOLTA POR CIMA, E ASSIM FIZEMOS.

Eu e meus irmãos fomos estudar no colégio estadual Antônio Prado Júnior, também no bairro da Tijuca.

Eu me sentia em casa no colégio Antônio Prado, porque os alunos eram de origem simples como eu. Fiz grandes amizades e guardo até hoje a camiseta do uniforme do colégio, pois foi um período em que me reencontrei com minha essência.

Tenho que confessar que a ida para o colégio público foi libertadora pra mim. Até então, minha vida de bolsista em escola particular frequentada pelas famílias abastadas não tinha sido fácil. Foi no colégio particular, ainda criança, que entendi o significado do preconceito e da discriminação. Eu e meus irmãos passamos por várias humilhações, mas eu aguentava calado, e tudo o que pensava era que, um dia, viraria o jogo.

Eu ia para a escola de kichute, uma chuteira de borracha bem dura, feiosa e muito usada pela garotada de baixa renda, porque eram os tênis mais baratos que existiam. Meu kichute sempre foi motivo de piada entre os colegas ricos do colégio Carrescia. Aliás, não só o kichute, mas minhas roupas — a maioria vinda de doações —, meus materiais escolares e o carro em que meu pai nos levava para a escola.

Eu me lembro de uma aula de física em que o professor desenhou na lousa um fusca sendo empurrado por uma pessoa e na mesma hora um colega gritou "É o Mira Móvel!", em alusão ao fusquinha velho do meu pai.

A risadaria estourou na sala, e eu só queria que o chão se abrisse para eu sumir dali, mas segurei a onda. Eram raros os dias em que meus colegas não faziam piada sobre minha condição social. Isso me magoava profundamente, mas também me ensinava a ser forte e determinado.

Na minha cabeça de garoto sonhador, a virada aconteceria aos 18 anos. Eu achava que, ao atingir a maioridade, faria faculdade, viraria um executivo bem-sucedido e andaria de avião para todo lado. Sonho simplista, eu sei, mas, para um garoto com poucas perspectivas que vivia no morro, sobrevivendo com doações e convivendo com violência, injustiças e ausência de políticas sociais inclusivas, realizar esse sonho era o ápice do sucesso.

No final de 1996, consegui isenção da taxa de vestibular e tentei uma vaga na UERJ para cursar administração. Foi quando veio o primeiro grande choque de realidade: vindo de colégio público, sem uma boa base e sem cursinho, não passei nem perto do que seria o meu sonho dourado daquela época. Mas a vida dá voltas, não é mesmo?

Corta para 2020.

Em plena pandemia, conduzindo a segunda turma da minha mentoria de finanças, recebo a mensagem de uma aluna, a Aline Guedes, e mais uma vez, todo um filme do passado me veio à cabeça. Essa aluna é doutora em matemática, professora da UERJ e criou uma disciplina eletiva no curso de matemática para ensinar finanças, tendo como base curricular o conteúdo que aprendeu comigo na mentoria.

Esse é o poder da educação! O conhecimento que adquiri em mais de vinte anos de mercado agora reverbera pelas paredes da universidade onde não consegui entrar.

Eu não pude estudar na UERJ, mas me fiz presente vinte anos depois por meio da educação financeira, pelas mãos da minha aluna, a professora doutora Aline Guedes, e isso vale mais do que dinheiro.

# CAPÍTULO 2
# Descobrindo o mundo dos investimentos

Em 1997, com 18 anos, eu trabalhava como office boy em uma pequena empresa de serigrafia e agendas escolares. Coincidentemente, essa empresa tinha conta-corrente na mesma agência do Bradesco onde, um ano antes, eu havia aberto a minha caderneta de poupança.

Em uma das minhas idas ao banco para serviços de rotina, comentei com o gerente que eu estava desanimado com a caderneta de poupança e que precisava de algo que rendesse mais.

O gerente indicou que eu investisse em um **fundo DI**. Eu nem sabia o que era, mas, segundo ele, o rendimento era muito melhor que o da poupança.

Naquele dia, mais uma vez, saí exultante da agência. Afinal, eu ficaria rico colocando todo meu dinheiro (leia-se, os trocados que sobravam do salário de office boy) naquele tal de fundo DI. Lógico que não deu em nada.

---

**Fundo DI** é um tipo de fundo de renda fixa que investe no mínimo 95% de seu patrimônio em títulos públicos federais ou em títulos privados considerados de baixo risco.

No mercado, esses fundos são conhecidos como **fundos referenciados DI** e têm esse nome porque sua rentabilidade usa como referência a taxa do CDI (Certificado de Depósito Interbancário), cuja variação acompanha a Selic, que é a principal taxa da nossa economia.

Falarei sobre taxa Selic e CDI mais adiante.

> **DICA:**
> quero que você entenda que o fundo DI é uma modalidade de investimento bem popular, normalmente com alta liquidez e considerada bastante segura.
> É recomendado para reserva de emergência, assim como Tesouro Selic e CDBs de liquidez diária e que paguem pelo menos 100% do CDI.
> No entanto, por suas características, é mais indicado para investimentos de curto prazo ou para a reserva de emergência, e não para investimentos de longo prazo, cujo objetivo é alta rentabilidade ou multiplicação do patrimônio.

Os reflexos da política adotada pela equipe econômica do governo desde a criação do Plano Real se faziam presentes, com significativa baixa nos índices de inflação. O ano de 1997 foi marcado pela política monetária do Banco Central estimulando o uso do crédito, mediante a redução da taxa básica de juros da economia, a taxa Selic.

> **Taxa Selic** é um instrumento de política monetária utilizado pelo Banco Central para controlar o volume de dinheiro em circulação e, consequentemente, a inflação.
>
> A Selic é a taxa básica de juros da economia e, portanto, baliza os percentuais de juros cobrados em empréstimos e financiamentos, além das taxas de rentabilidade de vários investimentos em renda fixa.
>
> Quando a Selic está alta, empréstimos e financiamentos ficam mais caros, tanto para pessoas físicas quanto para empresas. Isso desacelera a atividade econômica e reduz a inflação.
>
> Inversamente, quando a taxa Selic está mais baixa, há aquecimento das atividades econômicas como um todo, com maior consumo das famílias e maior investimento das empresas em produção e fornecimento de bens e serviços.

Essa política fez com que os fundos de renda fixa tivessem rentabilidades mais baixas, já que o mercado financeiro estava otimista com os estímulos à atividade econômica e o crescimento do PIB. Dessa forma, quando as oportunidades e melhores rentabilidades estavam na Bolsa de Valores — que só no primeiro semestre de 1997 já alcançava uma valorização de 80% —, lá estava eu, investidor inexperiente, na contramão dos ganhos, investindo em renda fixa.

Toda **renda fixa** é um empréstimo que você faz ao governo ou a uma instituição financeira, tendo como contrapartida o recebimento de juros sobre o valor emprestado.

A formalização desse empréstimo é feita por meio de investimentos que você adquire junto às instituições financeiras, e a lógica toda é muito simples. Você aplica dinheiro na instituição financeira, e ela gera um recibo, que pode ser CDB, RDB, caderneta de poupança etc. Esse "recibo" define previamente as condições da operação: tipo de título, rentabilidade, liquidez e prazo de vencimento.

A instituição vai usar esse dinheiro que você depositou para emprestar a outras pessoas ou empresas, cobrando juros. Esses empréstimos podem tomar forma de financiamento de bens, juros do cartão de crédito ou do cheque especial, linhas de crédito para capital de giro, entre outros.

Há também outros tipos de empréstimos que geram títulos de renda fixa nos quais você pode investir. São as LCI, LCA, LC, CRA, CRI etc. Nesses tipos de títulos, o caminho é inverso: a instituição financeira empresta dinheiro para empresas e vende para você um "pedaço" dessa dívida que ela tem a receber. Nesse caso, você se torna credor daquele empréstimo que a instituição fez, por exemplo, ao agronegócio (LCA, CRA) ou ao setor imobiliário (LCI, CRI), e receberá uma taxa de juros sobre o montante que você adquiriu do título.

As principais características dos investimentos de renda fixa são a existência de um prazo de vencimento e uma taxa de rentabilidade prefixada, pós-fixada ou híbrida.

> **DICA:**
> a renda fixa é perfeita para metas de curto e médio prazo (até cinco anos), mas o vencimento de cada título escolhido deve ser igual à data que você escolheu para sua meta.

Eu fiquei anos investindo em fundos DI e em fundos multimercado por pura falta de conhecimento. Não estou dizendo que esses fundos são ruins. Na verdade, são bastante comuns no mercado e atendem a objetivos específicos. No entanto, para a meta que eu tinha e, considerando o baixo volume de capital disponível, esse não era o tipo de investimento adequado. Até então, eu não fazia a menor ideia disso e não havia muito material disponível para pesquisar alternativas.

**Fundo de investimento** é uma espécie de condomínio de investidores.

Uma empresa, legalmente constituída e registrada na CVM, reúne o dinheiro de diversas pessoas para investir coletivamente numa variada cesta de ativos, de acordo com a estratégia definida no regulamento do fundo.

Existem diversos tipos de fundos de investimento, como os de renda fixa, câmbio, ações e fundos imobiliários, ou ainda os fundos multimercado, que são aqueles cujo regulamento possibilita investir em todas as classes de ativos.

As classes de risco, liquidez, taxas e tributação variam de acordo com o tipo de fundo, e todas as informações sobre cada um deles são disponibilizadas pelo gestor no site do fundo e nas lâminas de informações essenciais.

Todos os fundos de investimento possuem, obrigatoriamente, um **administrador** responsável por toda a parte burocrática, como aprovação do regulamento, envio de informações relevantes aos cotistas, esclarecimento de dúvidas e acompanhamento da gestão do fundo quanto ao cumprimento dos objetivos e à política de investimentos. Há também o **gestor**, cuja atribuição principal é o acompanhamento do mercado para tomada de decisões quanto aos investimentos a realizar, sempre em conformidade com o estabelecido no regulamento.

> **DICA:**
> tendo ou não conhecimento sobre finanças, os fundos de investimentos podem ser uma boa oportunidade, basta escolher os que tenham bons gestores. Normalmente, os melhores fundos não estão nos grandes bancos, mas nas corretoras de valores.

Naquela época, a internet ainda não era algo acessível a todos. Apesar de existir no Brasil desde 1981, foi apenas a partir de 1996 que os grandes provedores começaram a operar por aqui.

A tecnologia era precária e cara, e computadores domésticos eram acessíveis apenas a quem tivesse muito dinheiro.

Foi mais ou menos nesse período que deixei o emprego de office boy e fui trabalhar como operador de telemarketing na extinta Telerj.

Eu não tinha computador em casa, mas conseguia acesso à internet no trabalho. No entanto, não havia o volume de informações que temos hoje. Dessa forma, para estudar finanças, o caminho ainda era ler os cadernos de economia dos grandes jornais, acessar as editorias de finanças no site do UOL e frequentar bibliotecas. E eu fazia tudo isso, pois precisava entender o mercado.

# CAPÍTULO 3
## A PAIXÃO POR PROJETOS DE TECNOLOGIA

Foi justamente o advento da internet e todo o universo de possibilidades que a tecnologia prenunciava que despertou meu interesse por esse assunto.

Em 1999, entrei na universidade Estácio de Sá para estudar telecomunicações. Como o salário de operador de telemarketing não era suficiente para pagar a faculdade, pedi transferência para trabalhar no turno da madrugada, pois assim receberia o adicional noturno.

Parte do problema estava resolvido, pois, com o adicional noturno, eu tinha o valor total da mensalidade, mas ainda restava um desafio: não sobrava dinheiro para pagar a condução até a faculdade. A solução? Pedia carona para os motoristas dos ônibus! Só que nem sempre isso dava certo, então às vezes eu simplesmente dava calote e descia pela porta de trás do ônibus da linha 473, da viação Braso Lisboa. Alô, Grupo Guanabara, desculpe pelo calote, mas eu precisava estudar, e houve dias em que eu tinha que escolher se comia ou pagava a passagem.

Foi na faculdade que conheci o Jorge Lessa, meu amigo até hoje, e que atualmente vive em Portugal. Em 1999, nós dois conseguimos emprego na recém-criada Telemar (atual OI S.A.), na unidade

Engenho Novo. Assim como nós, estudantes ansiosos por surfar nas mudanças estruturais que a chegada de novas tecnologias promovia no país, a Telemar também surgia no cenário nacional com o objetivo de atender a grande demanda existente por serviços de telecomunicações. A holding, criada em 1998, era formada por 16 empresas, cujo controle era do consórcio AG Telecom.

Foi o meu primeiro emprego em uma empresa de grande porte e também a primeira vez que eu tinha um salário que possibilitava ajudar minha família e guardar um pouquinho mais.

Jorge e eu fazíamos os projetos de infraestrutura de cabeamento para levar telefone fixo aos domicílios. Para realizar esse trabalho, subíamos morros, entrávamos em prédios e empresas, sempre coletando as informações necessárias para desenhar os projetos e fazer a especificação técnica dos materiais.

Foi um período de grande aprendizado, mas não apenas em tecnologia. O contato cotidiano com realidades tão diferentes, ora com prédios imponentes e escritórios sofisticados, ora com residências de classe média e de baixa renda, me deu uma dimensão muito mais clara das desigualdades e ampliou minha percepção quanto ao lugar de onde eu vinha e aquele aonde eu queria chegar.

Foi lidando com as diferenças de critérios no planejamento de telecomunicação de uma grande cidade como o Rio de Janeiro que comecei a ter mais clareza do quanto à disponibilidade de serviços, e até as políticas públicas, são segregadoras e discriminatórias. Isso acabou sendo um elemento a mais na minha motivação para lutar por uma vida melhor para minha família.

Efetivamente nessa época as coisas começaram a melhorar um pouco. Além do meu pai, eu e meu irmão Léo também trabalhávamos, então a renda da família começou a aumentar. Era o início de uma fase mais próspera, embora ainda bem simples.

Continuamos morando numa região muito violenta e precária, mas a comida agora era farta, já não passávamos necessidade e pudemos, inclusive, reformar a casa e fazer planos mais consistentes.

# MEU OBJETIVO CONTINUAVA O MESMO: SAIR DA POBREZA. A ESSA ALTURA, EU JÁ SABIA QUE O NOME DESSA META ERA

# INDEPENDÊNCIA FINANCEIRA.

**Independência financeira** caracteriza-se pela autonomia de escolhas em relação ao dinheiro. Embora muita gente considere que ter independência financeira só é possível para quem fica milionário, não é bem assim.

É lógico que riqueza facilita tudo. Porém, se você olhar bem, há várias pessoas muito ricas que vivem exclusivamente em função do trabalho para acumular dinheiro infinitamente e quase não usufruem do que já têm. Será que alguém assim é independente? Essa pessoa pode se considerar livre, senhora de suas escolhas?

Independência financeira é ter o dinheiro trabalhando pra você, ou seja, gerando rentabilidade suficiente para bancar seus custos de vida sem que você dependa de um salário e sem precisar mexer no seu patrimônio.

O valor que é suficiente para cobrir todas as suas despesas fixas é algo muito individual e tem a ver com suas escolhas quanto a um padrão de vida que lhe dê prazer, segurança e tranquilidade.

> Sendo assim, a independência financeira tem muito mais a ver com a sua relação com o consumo e sua capacidade de fazer uma gestão consciente de seus recursos.

Eu e Jorge estávamos sempre juntos, e acabei conhecendo a mãe dele, que trabalhava numa corretora de investimentos. Até então, o pouco que eu sabia sobre Bolsa de Valores vinha do meu tio Carlinhos. Ele investia em Bolsa e, quando viu meu interesse adolescente pelo assunto, se empenhou em me mostrar algumas coisas.

Mas, na época em que conheci a mãe do Jorge, eu ainda não sabia nada sobre corretoras de investimento. Como disse, até então tudo o que eu sabia de Bolsa de Valores eram as coisas que o tio Carlinhos me contava ou o que eu via nos filmes. Foi por intermédio da mãe do Jorge que tive informações mais detalhadas sobre o funcionamento desse sistema, e aquilo começou a mexer de verdade comigo.

Entendi que a Bolsa era o lugar onde as pessoas realmente podiam ficar ricas investindo, e então defini que, para sair da pobreza, esse seria o caminho: eu tinha que aprender a operar na Bolsa!

Começamos a usar o simulador de investimento da Folhainvest, que era a única ferramenta gratuita disponível. A mãe do Jorge comentava sobre ações que estavam caindo ou subindo, e nós estudávamos os movimentos dos papéis no simulador. Foi quando me apaixonei definitivamente pelo mundo das finanças e, em especial, pela renda variável.

**Renda variável** é todo tipo de investimento em que não se tem a definição prévia de rentabilidade.

São ativos indicados para investimentos de longo prazo, dada sua característica de constante volatilidade ao longo do tempo, influenciada por inúmeros fatores macroeconômicos, como o cenário político global, câmbio, crescimento econômico, entre outros.

Quase todos os ativos de renda variável são negociados em Bolsas de Valores e considerados ativos de risco.

As principais negociações na Bolsa são as que envolvem ações, derivativos, contratos de commodities, fundos de ações e fundos imobiliários.

> DICA:
> a renda variável é perfeita para metas de longo prazo, como dez anos ou mais, por isso ela se encaixa tão bem na independência financeira.

Estávamos no ano 2000. Era o segundo mandato de Fernando Henrique Cardoso como presidente do Brasil, e a Bolsa vinha apresentando forte valorização, tendo saído de 6.700 pontos no início de 1999 para quase 18 mil pontos em agosto de 2000.

A economia estava num ciclo de alta, e isso favorecia o mercado acionário. Eu seguia de forma obstinada os meus estudos no simulador e conversava muito com meu tio sobre finanças e investimentos, pois meu foco nessa fase era treinar muito e entender como o mercado funcionava antes de começar a colocar dinheiro de verdade.

Meu primeiro grande aprendizado quanto aos ciclos econômicos começou a acontecer bem ali, na virada para 2001. A economia mundial sentiu o peso do que ficou conhecido como o estouro da bolha das pontocom na Nasdaq, a Bolsa de Valores dos Estados Unidos onde estão listadas as empresas do setor de tecnologia.

Na nossa Bolsa, além dos reflexos diretos vindos da crise norte-americana que causou forte recessão mundial, ainda tínhamos uma crise energética e a crise da Argentina — uma das maiores da história de nossos *hermanos* que, inclusive, culminou na queda do presidente Fernando de la Rúa, que havia sido eleito justamente com a promessa de preservar a estabilidade macroeconômica do país e havia falhado miseravelmente.

A Argentina era um importante parceiro comercial do Brasil, e sua crise econômica impactou nossa balança comercial devido à queda de mais de 40% no volume de exportações. Além disso, o desrespeito aos acordos do Mercosul e o aumento das tarifas de importação de bens de consumo, visando proteger a economia argentina, criaram um clima político bastante complicado entre os dois países.

Mas por que estou lembrando de tudo isso? Para você, que também está trilhando sua jornada de aprendizado sobre mercado financeiro, saber que, ao longo da história, sempre houve (e sempre haverá) alguma crise em curso, e isso afeta em maior ou menor grau os seus investimentos, de acordo com o quanto você se mantém informado em relação aos riscos e às oportunidades de cada cenário.

> **DICA:**
> cada crise gera uma oportunidade, e as crises sempre vão existir, porque a economia é cíclica e vai de:

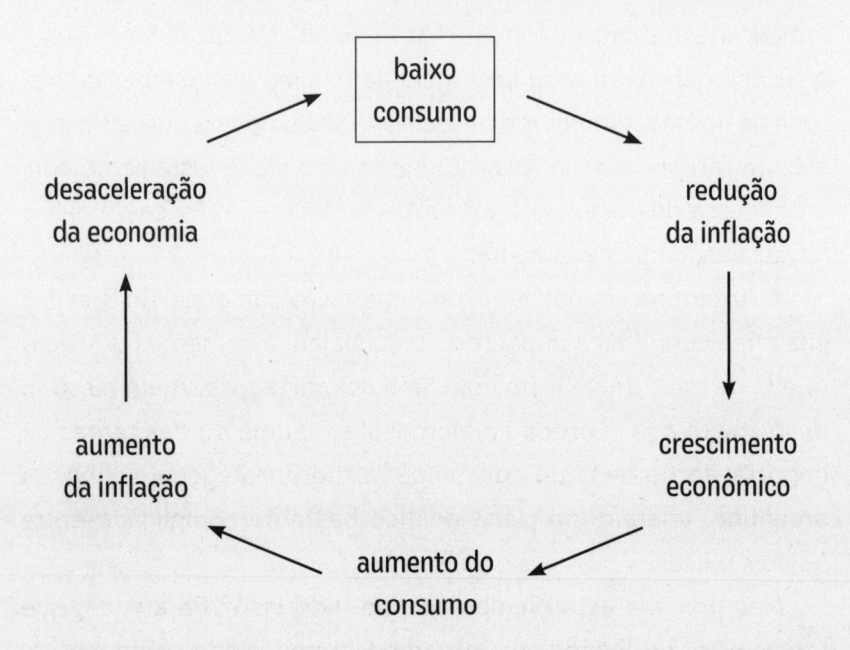

```
         baixo
        consumo
    ↗              ↘
desaceleração      redução
da economia        da inflação
    ↑                 ↓
aumento            crescimento
da inflação        econômico
    ↖              ↙
         aumento do
          consumo
```

No início dos anos 2000, eu ainda não investia em Bolsa — estava focado em trabalhar, estudar e ir investindo em renda fixa o que conseguia juntar. Eu tinha pouquíssimo conhecimento sobre macroeconomia, mas ainda assim insistia em ler tudo o que podia, pois sabia que, em algum momento, toda aquela bagagem acumulada começaria a fazer sentido na minha cabeça.

A combinação de inúmeros fatores macroeconômicos fez a Bolsa brasileira fechar 2001 com menos de 14 mil pontos. Eu não desgrudava os olhos do caderno de economia dos jornais —, não porque fosse um investidor, mas porque sabia que ali estava uma rica fonte de aprendizado que faria toda a diferença na minha jornada futura.

# CAPÍTULO 4
## A PERGUNTA QUE MUDOU TUDO

Durante a faculdade, descobri uma nova vocação, que eu nem sequer tinha cogitado até então: lecionar.

Eu sempre fui apaixonado por estudar e compartilhar conhecimento com as pessoas, mas não pensava nisso como uma vocação.

# QUEM VEM DA POBREZA, COMO EU, DESDE

# CEDO APRENDE A DIVIDIR AS COISAS COM QUEM TEM MENOS.

Dividimos a comida, as roupas, os poucos bens que possuímos, e dividimos também o que sabemos.

Em comunidades carentes, onde a solidariedade é uma forma de resistência, é muito forte esse espírito de grupo. Inclusive, lembro de várias pessoas da comunidade ajudando meu pai a virar a laje na reforma da casa que até então era somente de telhas. Depois do mutirão, todos comeram moela com rodelas de pão francês embaixo da árvore que tinha nos fundos do quintal. A solidariedade sempre esteve muito presente na minha vida, tanto pra dar quanto para receber.

Desde cedo, meus irmãos e eu aprendemos com nossos pais a importância de compartilhar, assim como aprendemos, também com eles, o valor da educação. Então, para mim era natural: se eu sabia algo que podia ser útil para outra pessoa, por que não compartilhar o conhecimento? Não canso de repetir:

# O CONHECIMENTO SE MULTIPLICA QUANDO É DIVIDIDO.

Hoje, se eu pudesse dar uma dica sobre vocação profissional, seria essa: observe com carinho e atenção quais são as coisas que você faz com naturalidade, sem esforço. Perceba quais as atividades que você faria independentemente de estar recebendo ou não por isso. Essas coisas, provavelmente, são parte de sua essência, são a sua vocação.

Comigo foi exatamente assim, mas só comecei a ver isso com clareza na faculdade, ainda no primeiro período. Um dia, apresentando um trabalho de língua portuguesa, a professora Natalina Cinegaglia, que ainda hoje segue como professora e coordenadora na universidade Estácio de Sá, elogiou minha performance ao final da apresentação e perguntou se eu já tinha pensado em dar aula.

Minha primeira reação foi de espanto, pois eu nunca havia cogitado tal hipótese. No entanto, a professora Natalina me estimulou, e comecei a lecionar na Estácio pouco tempo depois, primeiro numa parceria da universidade com a Telemar, no curso técnico que qualificava profissionais na área de tecnologia.

Conforme ganhava mais confiança em sala de aula, percebi que aquilo era muito significativo pra mim. Eu era realmente um educador.

Quando concluí a faculdade de telecomunicações, eu já sabia que a profissão de educador fazia parte do meu DNA e decidi continuar na Estácio, cursando a pós-graduação em pedagogia empresarial.

A partir daí, comecei a unir minha vocação e habilidade com finanças para realizar alguns projetos sociais. Eu me tornei voluntário na ONG Junior Achievement,[2] dando aulas de empreendedorismo, e participei de atividades do projeto social que um amigo, Alexandre Salgado, realizava em São João de Meriti, na Baixada Fluminense. Na sequência, me tornei docente da própria Estácio, também nos cursos de tecnologia, e posteriormente na Unigranrio.

Era uma época em que eu não parava pra nada: trabalhava durante o dia na Telemar, dava aulas de tecnologia e projetos de telecomunicações para fazer renda extra, e o tempo livre eu dividia entre os trabalhos voluntários e os estudos sobre o mercado financeiro.

\*\*\*

Alguns anos depois que saí da universidade comecei a namorar a Marta, que hoje é minha esposa e mãe das minhas duas filhas, Beatriz e Alice.

---

2| A JA Worldwide é uma organização global, fundada em 1919, nos Estados Unidos, por Horace A. Moses, Theodore Vail e Winthrop M. Crane. No Brasil, a ONG atua há quatro décadas, com programas de empreendedorismo, educação financeira e preparação de jovens para o mercado de trabalho.

Quando o namoro começou, em 2005, já nos conhecíamos havia pelo menos sete anos, só que virtualmente. E olha que ainda nem existia Tinder! Eu e Marta nos conhecemos numa sala de bate-papo do UOL por volta de 1998, uma época em que não existiam WhatsApp ou redes sociais da forma como conhecemos hoje. Era o início da internet e o que existia era o ICQ e o bate-papo do UOL. Até mesmo o MSN e o Orkut só surgiram em 1999.

Eu não tinha computador em casa, mas nessa época havia me destacado muito no serviço de atendimento da Telerj, então fui promovido para o atendimento on-line. Dessa forma, eu ficava o dia inteiro no computador e com acesso à internet. Era um serviço ainda em fase embrionária, utilizado por poucas empresas, então era raro o dia em que eu tinha mais do que meia dúzia de atendimentos a registrar no sistema. Com isso, eu passava boa parte do tempo ali, aguardando chamados dos clientes.

Acontece que a internet daquela época não era esse mar de informações que conhecemos hoje. Havia alguns sites de busca, como o Cadê, o Altavista e o Aonde, e, no final de 1998, foi lançado o Google, mas a produção de conteúdos ainda era bem incipiente. Sem ter muito o que fazer na internet, eu entrava nas salas de bate-papo do UOL.

E foi assim que, numa tarde qualquer de 1998, na sala *riodejaneiro37*, Marta e eu começamos uma amizade que atravessaria quase uma década, até finalmente se tornar um relacionamento amoroso. Contudo, até que essa amizade se transformasse no relacionamento de nossas vidas, muita coisa aconteceu. Foi o período em que eu acumulei boa parte dos conhecimentos que, bem depois, me transformariam no investidor que sou hoje.

# CAPÍTULO 5
## NADA É DO DIA
# PARA A NOITE

Não foi simples a jornada até o ponto de me sentir seguro o suficiente para me lançar à renda variável e, depois, me tornar um investidor profissional. Foram anos de estudo autodidata, numa época em que ainda não havia educação financeira gratuita e on-line, como existe atualmente no YouTube ou nas redes sociais. Essas plataformas sequer existiam.

Além de treinar no simulador do Folhainvest, eu recorria aos livros, cadernos de economia dos jornais, trocava informações com meu tio Carlinhos e pessoas do mercado com quem conseguia contato.

Em casa, o tema finanças não era presente. O histórico da minha família é exatamente o mesmo da maioria das famílias pobres: só conversávamos sobre dinheiro para falar da falta dele e de como conseguir pagar as contas do mês. Então, minhas incursões pelo mundo dos investimentos começaram um tanto solitárias.

Enfrentei inúmeros desafios, mas isso nunca foi um problema. Ao contrário, cada barreira transposta serviu como combustível para buscar mais conhecimento e seguir avançando. Eu simplesmente não tinha tempo para ficar reclamando dos percalços.

# EU TINHA UMA META CLARA, E SABIA QUE CADA MINUTO ERA IMPORTANTE PARA EVOLUIR.

Hoje, olhando para trás, vejo que as fases pelas quais passei contribuíram para treinar meu olhar para as oportunidades de mercado.

Um exemplo disso foi tudo que aprendi como empreendedor. Antes de me tornar sócio de empresas por meio da compra de suas ações, investi na minha própria empresa, e as lições que tirei disso são úteis até hoje.

Na década de 2000 meu aprendizado sobre educação financeira aconteceu na prática. Todos os dias eu arriscava a pele e aprendia a fazer a gestão desses riscos.

Ainda na universidade, abri minha primeira empresa com dois colegas de curso — a ELM Telecomunicações (o nome era um acrônimo de Eduardo, Levi e Marcelo). Pouco tempo depois, saí dessa sociedade e abri outra empresa junto com meu irmão, Leonardo, dessa vez com foco educacional, para ensinar sobre projetos de tecnologia dentro de empresas e universidades. Nenhuma das duas empresas me deu dinheiro, mas a experiência adquirida na gestão de ambas valeu mais do que qualquer coisa.

Essas duas experiências iniciais como empreendedor sedimentaram um caminho cujas lições me ajudam até hoje em cada novo empreendimento ao qual me lanço. E não têm sido poucos dos anos 2000 pra cá.

Algo que eu tinha muito claro nesse tempo era que precisava fazer tudo de forma planejada, não podia ser apressado. Eu queria ter dinheiro para investir, mas, como minha renda era pequena e eu precisava ajudar no orçamento doméstico, era necessário fazer dinheiro.

Por isso, contive o ímpeto de ir muito cedo para a renda variável e me mantive nos investimentos conservadores de renda fixa, focando minha energia em duas coisas: fazer renda para acumulação por meio de empreendimentos e seguir estudando a Bolsa de Valores, pois eu sabia que isso era uma etapa importante no meu plano de longo prazo.

Vou explicar qual era o meu raciocínio nessa fase, pois sei que isso será especialmente útil se você estiver começando a investir agora: eu sabia que, por melhor que fosse a rentabilidade obtida em algum investimento, um grande percentual sobre um pequeno volume de dinheiro continuaria sendo pouco dinheiro.

Sendo assim, era muito mais importante dedicar meu tempo e minha energia para gerar renda, mesmo que, naquele primeiro momento, tivesse que manter na renda fixa tudo o que conseguisse acumular. Afinal, quanto maior o volume de dinheiro, maior o efeito dos juros compostos sobre ele (no box explicativo deste capítulo, falo brevemente sobre juros simples e compostos, para que você visualize melhor o funcionamento deles).

Como o esforço para gerar renda extra ainda era muito grande e tomava quase todo o meu tempo, eu não poderia colocar meu dinheiro em risco para aprender renda variável na base da tentativa e erro. Qualquer perda naquela fase significaria retroceder muitos passos, e eu não queria isso.

Dessa forma, optei por rendimentos menores em tipos de investimentos cujos ativos eu já conhecia, aumentando assim tijolo a tijolo minha acumulação até estar mais bem preparado para iniciar na renda variável.

O sucesso no mercado financeiro é uma combinação de habilidades técnicas, observação, paciência e *timing*.

Aprender a lapidar isso e controlar o emocional é trabalho de uma vida, mas garanto que vale a pena.

---

**Juros reais X juros nominais**

**Juros nominais** referem-se ao valor que efetivamente será recebido além do capital inicial investido. Trata-se, basicamente, do quanto o dinheiro vai crescer.

Muita gente se apega exclusivamente a esse número para avaliar se um investimento é bom e rentável, mas isso é um equívoco, pois é necessário levar em conta as despesas envolvidas no referido investimento, como taxas bancárias ou de corretoras, taxas de administração e performance, impostos sobre o rendimento, tempo que o dinheiro fica retido etc.

É muito mais importante para o investidor entender quais são os **juros reais**, pois esses, sim, são o seu ganho efetivo.

Juro real corresponde ao seu ganho nominal, descontada a inflação do período. Por exemplo, suponhamos que um determinado investimento pagou 12% ao ano e a inflação neste mesmo período tenha sido de 7%. Para sabermos o juro real, o cálculo é:

Juro real = [(1 + juro nominal/100)/(1 + inflação/100) - 1] * 100

Usando nosso exemplo:
Juros nominais: 12/100 = 0,12
Inflação: 7/100 = 0,07

Juro real = [(1 + 0,12) / (1 + 0,07) - 1] * 100
Juro real = 4,672%

Ou seja, a aplicação pagou efetivamente 12% sobre o valor investido, mas o ganho real foi de 4,67%.

## Juros simples X juros compostos

**Juros compostos:** conceito econômico utilizado para especificar a incidência de juros sobre juros.

Por esse critério de remuneração do capital, a taxa sempre incide sobre o valor imediatamente anterior, o que amplia exponencialmente os ganhos se comparados aos **juros simples**, que, por sua vez, são uma taxa percentual definida previamente e que incide somente sobre o capital inicial, dentro de um período predefinido da operação financeira.

Aqui no Brasil, todos os cálculos são feitos a juros compostos, e isso é algo muito importante de entender, pois interfere diretamente nos rendimentos dos ativos ou no valor de dívidas que uma pessoa possui.

Saber calcular a incidência de juros vai te ajudar a alavancar os rendimentos, reduzindo assim o tempo necessário para atingir suas metas.

Se você deseja aprender os cálculos em detalhes, sugiro que visite meu canal do YouTube e confira as aulas Mira no Básico. Lá você vai encontrar uma aula de matemática financeira para iniciantes com mais de duas horas de duração, na qual aprenderá o passo a passo desses cálculos.

> **DICA:**
> os juros compostos podem ser replicados na renda variável quando você reinveste os seus dividendos, mas vou falar sobre isso mais a frente. Além do superpoder dos juros compostos, o poder de aporte faz toda a diferença, principalmente se você puder aumentar ano a ano o valor destinado aos seus investimentos. Esse aumento do aporte gera um efeito turbo nos seus juros compostos e facilita muito as coisas.

Se a minha ideia era acumular recursos, o caminho era seguir o que eu já vinha fazendo: empreender. E, assim, em 2007, abri minha primeira loja de equipamentos de informática, no bairro de Jacarepaguá.

Como todas as coisas que faço, tudo foi planejado criteriosamente para não haver erros ou perda de dinheiro, que era contado.

O planejamento que permitiu empreender mais uma vez começou bem antes, em 2004. Naquele ano, eu havia sido demitido da Telemar por perseguição da diretoria, que não gostou que eu tivesse registrado na Anatel uma reclamação sobre o telefone da minha casa estar sem funcionar havia três meses.

Quando a demissão aconteceu, eu já tinha uma reserva de emergência que me permitiu agir sem pressa até conseguir um novo trabalho. Aqui, mais um aprendizado na prática: tive a oportunidade experimentar a sensação boa de ter autonomia para fazer escolhas, pois tinha tranquilidade financeira para seguir fazendo as coisas do meu jeito e sem desespero.

Com a segurança da reserva de emergência garantindo o pagamento das minhas despesas fixas, pude passar algum tempo me dedicando aos estudos de finanças e ao voluntariado, em um projeto social chamado C.O.M (Centro de Oportunidades Meritiense), em São João do Meriti, onde eu dava aula para jovens de periferia.

Além do trabalho voluntário, também trabalhei na coordenação de campanha eleitoral do candidato a vereador Alexandre Salgado, um amigo e ativista social da Baixada Fluminense no Rio de Janeiro, ligado aos projetos sociais em que eu era voluntário. Foi quando eu pude conhecer um pouco dos bastidores da política. Alexandre não ganhou a eleição, mas eu ganhei conhecimento suficiente para nunca inventar de me meter com política.

Mas fato é que trabalhar na campanha foi uma forma de fazer renda extra e, ao mesmo tempo, me desafiar a realizar algo novo e fora da minha zona de conforto, sempre um excelente exercício para manter a mente aberta.

Eu só tive a oportunidade de conhecer outras atividades fora da minha bolha e pessoas com outras perspectivas porque, no momento em que me vi com tempo livre para isso, tive como me bancar por um tempo.

Essa é uma lição importante para guardar:

# EM HIPÓTESE ALGUMA ABRA

# MÃO DE TER UMA RESERVA DE EMERGÊNCIA.

**Reserva de emergência:** é o colchão financeiro que você precisa ter para momentos urgentes ou imprevistos.

É aquele dinheiro que você guarda todo mês um pouquinho em um investimento de renda fixa com liquidez diária, ou seja, uma aplicação que você possa sacar a qualquer momento que necessite. Pode ser o Tesouro Selic, um CDB de liquidez diária, um fundo DI simples ou até uma conta remunerada.

O foco dessa reserva não é a rentabilidade, mas a praticidade de poder usar o dinheiro de imediato, caso necessário.

Hoje em dia, é possível manter essa reserva em investimentos de renda fixa que remuneram a 100% do CDI.

Quanto ao tamanho dessa reserva, não há exatamente um padrão, pois cada pessoa tem suas necessidades específicas. No entanto, há uma regrinha prática que pode servir como referência inicial até que você mapeie seu perfil e necessidades.

Em linhas gerais, o valor acumulado de sua reserva de emergência deve ser equivalente a seis vezes o seu custo de vida mensal, caso você tenha um trabalho formal, e 12 vezes o seu custo de vida, caso você tenha uma atividade autônoma.

Há algumas outras variáveis a considerar na constituição dessa reserva. Por exemplo, se você não paga aluguel, tem plano de saúde, seguro de carro, enfim, se os riscos mais comuns estão cobertos, isso pode permitir que você tenha uma reserva menor.

O ideal é que você coloque numa planilha todos os seus custos fixos e, dessa forma, identifique quanto precisa ter para se custear na hipótese da perda do emprego ou numa situação atípica em que sua renda cesse ou diminua bruscamente, além, é lógico, dos gastos possíveis e inesperados com a manutenção da casa ou do carro, gastos com veterinário etc.

Entre o final de 2004 e o início de 2005, comecei a lecionar numa empresa no bairro do Rio Comprido chamada Estado da Arte e, em paralelo, seguia pesquisando alternativas para fazer dinheiro sem depender de empregadores.

Não que eu pretendesse parar de lecionar, mas não queria ser dependente de uma única fonte de renda, porque meu objetivo maior continuava a ser gerar cada vez mais recursos para investir em Bolsa de Valores e, através dela, conquistar minha independência financeira.

Foi então que comecei a planejar a abertura da loja de suprimentos de informática que comentei algumas páginas atrás. Eu entendia bastante de informática e estava aprendendo cada vez mais sobre gestão de negócios. Daí para a abertura da primeira loja foi quase que um caminho natural, mas que, obviamente, demandou muito tempo de estudo, planejamento e empenho para multiplicar o dinheiro e juntar, assim, o valor necessário para empreender. Nessa época o desafio era ter dinheiro pra pagar as contas, acumular um montante pra continuar meus investimentos e outro para abrir o novo negócio. Então gastar o mínimo e fazer renda extra eram as palavras de ordem!

O período dos anos 2000 foi uma fase em que a Bolsa de Valores teve um crescimento significativo, especialmente quanto ao aumento de participação dos investidores pessoa física, investidores institucionais e investidores estrangeiros. Com a implantação, em abril de 1999, do sistema home broker,[3] gradativamente o acesso foi ficando mais simples para as pessoas comuns, e a partir de 2004 tivemos um período marcado pela entrada de muitas novas empresas na Bolsa.

Para você ter uma ideia da mudança, no período entre 1995 e 2003, havia aberto capital na Bolsa de Valores um total de seis companhias, enquanto 42 novas empresas fizeram lançamentos na Bolsa de 2004 a 2006, uma parte delas abrindo capital e outra lançando novas ações para captar recursos e expandir seus negócios.

---

3| Home broker é a plataforma digital disponibilizada por corretoras e bancos, através da qual se negocia ações e demais ativos financeiros de forma simples e on-line.

> **Abertura de capital** na Bolsa de Valores é uma alternativa que as companhias têm para financiar seu crescimento sem utilizar crédito bancário ou a injeção de dinheiro dos próprios donos da empresa.
>
> O processo, conhecido como IPO (sigla do termo em inglês "Initial Public Offering") consiste em vender participação da empresa a investidores que, ao adquirir lotes de ações, passam a ser acionistas, ou seja, sócios da companhia, e assim passam a receber parte dos lucros gerados pela atividade da empresa, que chamamos de dividendos. Esses valores são pagos automaticamente pelas empresas aos seus acionistas e caem na conta que eles possuem nas corretoras.

Alguns fatores explicam esse crescimento no volume de operações: o cenário econômico positivo, decorrente da estabilidade institucional e também financeira, graças à entrada de muitos investidores estrangeiros no Brasil; a reforma da Lei das Sociedades Anônimas,[4] que foi criada em 1976, dando mais força e credibilidade à nossa Bolsa; e o spread bancário muito elevado para empréstimos, tornando mais viável a captação de recursos no mercado do que por meio de linhas de crédito.

Acompanhar o mercado e seguir fazendo operações apenas no simulador não era fácil. A todo momento eu via oportunida-

---

4 | A Lei n.º 6404/76, conhecida com a Lei das S/A, foi criada visando dar maior transparência às operações realizadas por uma companhia, bem como promover a proteção aos acionistas minoritários.

des para ganhos exponenciais, mas precisava me manter firme no plano que havia traçado, pois tudo corria conforme o planejado.

Até o que eu não planejei estava conspirando a meu favor. Afinal, quando eu imaginaria que iria namorar uma bancária que tanto me inspiraria a me aprofundar no mercado de capitais?

Pois foi isso que aconteceu: Marta, que comecei a namorar em 2005, trabalhava no Banco do Brasil e, não bastasse ser a mulher tão especial com quem eu viria a constituir família, era também a pessoa que me impulsionava a estudar cada vez mais. Ela me emprestava os materiais preparatórios pras provas de certificação que ela fazia no Banco.

Graças ao que eu aprendia com Marta e seus colegas de banco, criei mais uma meta no meu plano de vida, um novo degrau que, a meu ver, me ajudaria a chegar mais rápido ao meu objetivo maior: a independência financeira.

Essa nova meta era passar no concurso do Banco do Brasil, pois isso me permitiria ser um grande especialista no assunto, já que trabalhar no maior banco do país me proporcionaria uma visão ampla sobre todo o mercado não como investidor, mas sim como profissional. Essa história eu vou contar mais pra frente, pois, do objetivo traçado em 2005 até sua realização, em 2011, muitas coisas importantes aconteceram.

# CAPÍTULO 6
# SORTE É A OPORTUNIDADE QUE TE ENCONTRA PREPARADO

Em 2006, nem eu e nem Lula éramos mais novatos em nossas atividades. Ele estava entrando no quarto ano do seu primeiro mandato como presidente, e eu, no meu décimo ano como investidor. Ele, principal protagonista de um período marcado por forte crescimento econômico. Eu, me sentindo cada vez mais seguro das minhas escolhas e do planejamento que tinha traçado.

Eu sabia que ainda havia um longo caminho de estudos e trabalho duro até juntar meu primeiro milhão, mas seguia ajustando as velas da navegação rumo à minha independência financeira.

O presidente Lula havia assumido o governo em 2002, com uma inflação de 12,53% ao ano, e chegou a 2006 com IPCA de 3,14%, dentro da meta de inflação.

> O regime de metas de inflação define as regras e os procedimentos que norteiam a atuação do Banco Central, com vistas a assegurar o crescimento econômico sustentável do país.

> A **meta de inflação** é definida pelo Conselho Monetário Nacional (CMN) e seu papel é conferir mais segurança e previsibilidade quanto à política monetária do Banco Central para controlar a inflação e assegurar a estabilidade de preços.

Além do êxito da política econômica no controle da inflação — consolidando um amplo trabalho que havia sido iniciado mais de uma década antes com o Plano Real —, a credibilidade do mercado financeiro havia ganhado fôlego extra desde a reforma da Lei das S/A, em 2000, e o volume de negócios e o valor das ações cresciam substancialmente.

Entre 2003 e 2007, o volume negociado em Bolsa cresceu 392%. Eu acompanhava o noticiário econômico diariamente, procurando entender os movimentos, a correlação dos fatores macroeconômicos com as oscilações do mercado financeiro, e, mesmo não sendo um grande investidor, tudo corroborava aquela certeza que eu tive ainda na infância, de que a Bolsa de Valores era o caminho para alcançar a riqueza.

Marta e eu começamos a namorar em setembro de 2005. Naquela época, ela trabalhava na agência Tijuca do Banco do Brasil e sempre comentava sobre as carreiras do banco, amigos que tinham sido promovidos, e isso foi acendendo meu interesse.

Passei a considerar que trabalhar no Banco do Brasil seria uma oportunidade incrível de crescimento e, assim, decidi prestar concurso para o banco. É lógico que isso não aconteceu do dia para a noite, afinal, eu tinha que esperar a abertura do concurso e, além disso, a essa altura você já deve ter percebido que eu sou o cara do planejamento e, nesse caso, não foi diferente.

Segui dando continuidade às minhas atividades: dando aulas na Estado da Arte, investindo e, a partir de 2007, conciliando tudo isso com a rotina na minha loja de informática que inicialmente funcionava em Jacarepaguá e depois se mudou para o Shopping Iguatemi (hoje Shopping Boulevard), em Vila Isabel.

A administração da loja era algo que eu gostava muito de fazer, talvez pelo fato de que vida de comerciante nada mais é do que uma forma de trade, e isso já estava no meu DNA.

O trade, apesar de ser um termo usado praticamente apenas no mercado financeiro, nada mais é do que a definição de compra e venda. E o sucesso no trade na Bolsa depende justamente da habilidade de saber o momento certo de comprar e vender.

Nos meus cursos de educação financeira, costumo dizer aos alunos que é possível fazer trade com qualquer coisa, pois, em essência, é isso que fazemos ao negociar produtos: procuramos comprar pagando o mínimo possível e vender com a melhor margem possível, não é mesmo?

Era exatamente esse o meu pensamento na loja de informática, e considero que fui bem-sucedido, já que em dado momento meu volume de compra com os fornecedores, mesmo sendo uma única loja, equivalia às compras de várias lojas da região.

Isso foi possível porque eu acompanhava o mercado, me antecipava às tendências, buscava entender o comportamento de compra dos consumidores e, obviamente, era um negociador hábil.

Hoje, olhando para trás, vejo o quanto foi importante todo o aprendizado com a loja para a formação do meu perfil como trader bem-sucedido em Bolsa de Valores.

Apesar de serem mundos totalmente diferentes, com especificidades em seus fundamentos que, de certa forma, as distanciam em termos de psicologia do investidor, há mais similaridades do que diferenças: ter *timing*, planejamento para compra e venda, não tomar decisões movido pela emoção, saber identificar custo de oportunidade e, se necessário, arcar com pequenos prejuízos antes que esses se tornem significativos (sempre que uma mercadoria encalhava, eu fazia promoção e vendia até abaixo do preço de custo, o que no trade nós chamamos de stop), além de fazer gestão de risco.

Todas essas habilidades foram importantes para a minha rotina de comerciante na loja e continuam sendo imprescindíveis para fazer trade em Bolsa.

Ainda em 2007, Marta e eu decidimos que, antes de casar, precisávamos ter um imóvel. Apesar de já ter anos de estudo sobre mercado financeiro, eu ainda era um aprendiz em produtos bancários e cometi um grande erro: entrei em um consórcio[5] imobiliário.

Hoje, com a experiência que tenho, até seria fácil olhar para o Mira de 2007 e condená-lo pelo deslize tão primário de cair na lábia da gerente do banco, mas seria injusto. Naquela época, havia poucas informações no mercado para subsidiar decisões desse tipo e, além do mais, a Sandra, minha gerente no Bradesco, era sempre muito atenciosa e solícita, e tinha ganhado a minha confiança.

Confesso que embarquei na ilusória frase do "quem casa quer casa" e tomei uma decisão emocional sobre algo que deveria ser decidido racionalmente. Não funcionou. Foram poucos meses até me dar conta de que aquele era um péssimo negócio e desistir. Cancelei o consórcio, o dinheiro que paguei ficou retido por quase dez anos, até que o grupo acabasse, e ainda teve o desconto da multa pelo cancelamento. Ainda assim, foi a melhor decisão que tomei.

---

5 | Consórcio não pode ser considerado investimento, pois não há rendimentos incidindo sobre os valores que o consorciado paga mensalmente, ou seja, não há correção para os valores empenhados.

# QUANDO A GENTE ERRA, TEMOS DE RECONHECER, RESOLVER E PARTIR PRA OUTRA. FOI ISSO QUE FIZ.

EDUARDO MIRA

Como trader, eu diria que *stopei* a operação.

A aquisição do nosso primeiro apartamento ocorreu pouco tempo depois, em 2008, por meio de um financiamento imobiliário.

Eu sabia que financiamento longo não era uma opção interessante, mas, na fase em que estávamos, não haveria outra forma de adquirir um imóvel e, desde o momento da compra, meu pensamento era de trader, ou seja, eu venderia o apartamento com lucro muito antes de pagar todo o financiamento, que eu pretendia amortizar.

> Financiamento imobiliário consiste em um tipo de empréstimo feito no banco, com intuito de compra, construção ou reforma imobiliária. Nessa modalidade de financiamento, o imóvel fica como garantia e pode ser retomado pelo banco caso você não pague pelo empréstimo.
>
> O financiamento imobiliário pode ser feito utilizando dois tipos de "tabela". A tabela Price ou a tabela SAC.
>
> A diferença entre as duas é a forma de amortização da dívida, e a escolha entre uma ou outra impacta diretamente o valor das parcelas, bem como a incidência de juros.
>
> Quando realizado pela tabela Price, o valor da prestação é fixo do começo ao fim, mas a amortização de juros é menor no início, o que faz com que a parcela do financiamento comece mais baixa.
>
> Pela tabela SAC, as parcelas têm amortização progressiva de juros, o que faz com que as prestações diminuam mês a mês até zerar.

A tabela SAC é a mais comumente utilizada e também mais vantajosa, já que se tem a certeza da redução das parcelas.

Na tabela SAC você vai reduzir o saldo devedor, tendo a opção de manter o prazo e reduzir a parcela, ou manter a parcela e reduzir o prazo.

Se o pagamento da parcela for confortável dentro do seu orçamento e você conseguir juntar dinheiro para ir amortizando, reduzir o prazo é mais interessante.

Se você consegue pagar a parcela, mas não sobra tanto para ir amortizando, reduzir a parcela e manter o prazo é a melhor opção, já que dessa forma sobrará dinheiro para que você acumule no intuito de amortizar o financiamento.

Por outro lado, se o seu financiamento for na tabela Price, você paga a prestação do mês e pode pagar outras. Nessa modalidade, a grande vantagem é pagar a do mês e também as últimas, fazendo um pagamento de trás pra frente, conseguindo assim um grande desconto nessas últimas prestações.

O mesmo processo serve para empréstimos pessoais, como CDC ou empréstimo consignado. Pague sempre a prestação do mês e também as últimas.

> **DICA 1:**
> seja qual for a tabela usada — SAC ou Price —, nunca leve um financiamento até o fim, sempre faça a amortização. Amortizar significa reduzir sua dívida com o banco. Você sempre

> pagará a prestação do mês, mas deve juntar dinheiro para pagar além. Esse valor a mais vai reduzir a sua dívida com o banco e os juros.
>
> **DICA 2:**
> nem todo financiamento vale a pena ser amortizado. Existem financiamentos que são subsidiados pelo governo, como o programa Minha Casa, Minha Vida, e, por isso, têm uma taxa de juros tão baixa que é mais interessante juntar o dinheiro e mantê-lo aplicado no banco do que amortizar o financiamento. Para saber o que é mais interessante, você deve comparar o juro do seu financiamento, aquele que vem descrito no boleto mensal, e o juro da taxa Selic. Quanto maior for a taxa Selic e, consequentemente, os juros recebidos nos investimentos de renda fixa, mais interessante será investir em vez de amortizar um financiamento de juro muito baixo.

O ano de 2008 era, na minha avaliação, um bom momento para adquirir um imóvel, pois o período anterior tinha sido um ciclo de forte crescimento econômico, que impulsionou o mercado imobiliário. Com isso, houve forte abertura de crédito para que as pessoas adquirissem imóveis.

O problema é que a crise imobiliária dos Estados Unidos em 2008, que ficou conhecida como a crise do subprime, impactou as economias do mundo todo. Apesar dos reflexos em países emergentes como o Brasil terem sido bem menores do que nos países desenvolvidos, houve forte queda da Bolsa, aumento do dólar e grandes empresas reportaram prejuízos milionários.

Era o início de um ciclo de baixa na economia, e muita gente que no ciclo anterior havia financiado imóveis agora buscava se desfazer da dívida. Foi exatamente aí que intuí haver uma boa oportunidade de fazer um trade com imóvel.

E digo "intuí" porque, na verdade, eu ainda não tinha um conhecimento consolidado que me permitisse analisar a situação apenas tecnicamente. Mas, como acompanhava muito o noticiário econômico, meu sentimento era de que nos anos subsequentes o governo precisaria tomar medidas para estimular o consumo e reaquecer a economia, o que realmente aconteceu.

Já no pós-crise de 2008, as medidas tomadas pelos governos surtiram efeito, e, entre 2010 e 2013, ano após ano, o mercado imobiliário bateu recordes de vendas e financiamentos imobiliários.

A partir de 2013, quando a economia começou a dar novos sinais de desaquecimento, passei a monitorar com mais atenção a curva de juros, preocupado em não perder o momento ideal para a venda do apartamento. Já era uma fase em que meu conhecimento de mercado havia evoluído muito, mesmo porque eu já trabalhava no Banco do Brasil, e eu sabia a importância de acompanhar certas variáveis macroeconômicas para tomar decisões.

Em 2014, ano de Copa do Mundo sediada no Brasil, muitas obras de infraestrutura foram realizadas no entorno do Maracanã, e isso valorizou os imóveis na região, entre eles o meu apartamento.

A inflação estava aumentando em 2014, ameaçando bater o teto da meta, que era de 6,5%. A pressão inflacionária, somada à crise política, ameaçava a reeleição da então presidente, Dilma Rousseff. Visando conter a inflação e assegurar a reeleição, o governo adotou uma política de contenção do preço dos combustíveis e congelamento de tarifas de transportes públicos em grandes cidades, maquiando a taxa de inflação. Pra mim estava claro que essa conta viria tão logo passasse a eleição.

Copa do Mundo em 2014, Olimpíada no Rio em 2016, e eu com um apartamento próximo ao Maracanã. Era a conjunção perfeita que não se repetiria jamais. O imóvel estava muito valorizado, era hora de vender! Estava claro que em 2015 a economia mudaria, então a venda do imóvel naquele momento foi um ótimo trade.

Eu não sei quem é o autor da frase "sorte é o encontro da preparação com a oportunidade", mas posso dizer que o momento da venda do meu apartamento foi um exemplo concreto de que ela é verdadeira. Eu estava atento aos movimentos de mercado e ao início de uma curva descendente na economia, e a valorização dos imóveis no Rio devido à Copa foi, de certa forma, o tal fator sorte que me pegou preparado.

Vendi o apartamento por um valor quatro vezes maior do que havia pagado em 2008, e esse movimento foi muito importante para turbinar minha independência financeira.

Mas não pense que tomar essa decisão foi algo simples e meramente matemático. Teve também a negociação familiar, é claro.

Afinal, um casamento é uma sociedade, e Marta, tão dona do apartamento quanto eu, a princípio, não queria vendê-lo.

Foram dias e dias de muita conversa, e o clima entre nós chegou a ficar tenso pra valer. Confesso que em certo momento achei que nosso casamento poderia acabar ali.

Eu estava decidido. Tinha estudado meticulosamente e sabia que essa venda seria excelente para nós, mas Marta ainda estava muito presa à crença tão comum à maioria dos brasileiros, de que imóvel é algo que não se vende porque é o patrimônio que garante segurança. Ela ainda não vislumbrava que essa simples venda iria turbinar nosso crescimento patrimonial, então deu trabalho até convencê-la de que, ao contrário do que ela pensava, não estaríamos nos colocando em risco, mas, sim, potencializando um colchão de segurança ainda maior.

Sei que foi uma decisão muito difícil para Marta, e valorizo muito a confiança que ela depositou em mim ao finalmente ceder e concordar com a venda.

O rendimento do dinheiro da venda do apartamento seria suficiente para bancar o aluguel e o condomínio do novo imóvel para o qual nos mudamos, mas nem foi necessário usá-lo, pois, com os nossos salários, conseguíamos arcar com essa despesa sem dificuldades, então todos os dividendos gerados pelo dinheiro da venda do apartamento eram reinvestidos para ajudar na meta principal: nossa independência financeira.

Contei toda essa história do apartamento para que você perceba o quanto é importante acompanhar o noticiário econômico, mesmo que no princípio você não entenda muito do que é falado.

Minha persistência em acompanhar tudo e fazer o exercício de correlacionar acontecimentos foi me dando bagagem e apurando meu olhar para as oportunidades. Os estudos dão a você a teoria, mas é a vivência e a observação atenta dos fatos do cotidiano da economia que ensinam na prática.

O trade que fiz com esse imóvel foi apenas um entre muitos, e todos foram importantes na minha jornada. Teve trade de tudo: com ações, com títulos do Tesouro Nacional, imóvel, e até mesmo com carta de consórcio feito no Banco do Brasil. Aproveitar todas as oportunidades e nunca perder de vista a importância do aporte e do reinvestimento dos dividendos foi decisivo para chegar onde estou hoje.

### Day trade, swing trade e suas principais características

Como já mencionei anteriormente, eu considero trade toda e qualquer operação de compra e venda com potencial para gerar ganhos de capital. É importante entender isso para diferenciarmos de forma simples essas estratégias de operação na Bolsa de Valores e na vida.

Quando compramos ações de uma empresa, a ideia é nos tornarmos sócios do negócio e participar de seus lucros eternamente. Normalmente, ninguém entra de sócio em um empreendimento já com a intenção de sair dele, certo?

Acontece, porém, que o trader profissional de Bolsa de Valores não tem como estratégia a permanência na sociedade. Ao contrário disso, o trader tem como objetivo o ganho rápido e, portanto, é desprendido de qualquer apego ao *case* da empresa, e seu foco é exclusivamente o preço.

Para operações de day trade, que são aquelas em que compra e venda ocorrem em um único dia, o aspecto relevante a considerar é a volatilidade (velocidade em que os preços se mexem) e a liquidez (quantidade de negócios efetuados e quantidade de dinheiro envolvido) dos papéis que estejam sendo negociados. Sem isso, o risco de prejuízos é muito alto.

O day trade requer muito treino, técnica e conhecimento de mercado, pois, para ter lucros, é necessário ter velocidade nas decisões e muita precisão no manejo de riscos, por isso o day trade é uma profissão e, assim como qualquer outra, você leva anos pra aprender — eu levei uns bons anos da minha vida. Nunca acredite em quem disser que é rápido e fácil de aprender, pois não é, e as pesquisas mostram isso.

O swing trade tem similaridades com o day trade, pois também visa à compra e venda em de-

> terminado intervalo de tempo, com aferição de lucro. Mas esse tipo de operação se diferencia do day trade pelo prazo em que acontece. Elas duram mais de um dia e podem se estender por semanas ou até meses.
>
> Operações de day trade e de swing trade utilizam diversas técnicas, sendo a análise gráfica, a análise de fluxo (tape reading) e a análise quantitativa as mais comuns.

Para Marta, além da prosperidade financeira que conquistamos, esse episódio do apartamento foi positivamente marcante por outro motivo: foi o início da mudança da mentalidade investidora dela.

Quando recebemos o dinheiro do imóvel, a primeira coisa que fiz foi dividir o valor ao meio, pois, mesmo que os planos fossem da família, sempre considerei importante que cada um tenha sua conta-corrente e que o patrimônio esteja dividido igualmente em nome de ambos.

Independência financeira é algo que eu levo muito a sério e jamais cogitaria a hipótese de que minha esposa fosse financeiramente dependente de mim. Essa é uma premissa básica: fazemos planos juntos e construímos patrimônio juntos, mas a autonomia e segurança dela devem estar sempre preservadas.

Essa é, inclusive, uma forma de educar nossas filhas, pelo exemplo. Estou criando Beatriz e Alice para serem mulheres independentes, capazes de gerir seu patrimônio em seus próprios nomes, jamais em nome de cônjuges. Com o exemplo do que acontece dentro de casa, elas estão aprendendo desde muito cedo que o dinheiro deve servir para tornar as pessoas livres, e não o contrário.

Na época da venda do imóvel e da divisão do dinheiro, Marta ainda tinha um perfil de investimento muito conservador e deixou a parte dela na renda fixa de liquidez diária.

Com o passar dos meses, fui mostrando a ela a possibilidade do recebimento mensal de dividendos com fundos imobiliários.

Eu já era investidor desse tipo de fundo e vi nesse investimento, que é menos arriscado que as ações e tem a recompensa mensal em dividendos, uma boa porta de entrada para Marta na renda variável.

Os fundos imobiliários são divididos em diversos setores, mas os melhores são os fundos que têm participação em shoppings, em galpões logísticos e em lajes corporativas. Além desses, temos os fundos imobiliários de recebíveis, que investem em renda fixa imobiliária.

Marta começou a investir com pouco dinheiro, e usei com ela uma estratégia que eu ensino aos meus alunos: para equilibrar essa carteira inicial, aplicamos 50% em fundos de lajes, shopping e logísticos, e os outros 50% em fundos de recebíveis.

A cada novo recebimento de dividendos mensais ela ia ganhando confiança e migrando uma parte maior da sua carteira para os fundos imobiliários. Essa experiência levou um ano, até que Marta se sentiu segura em migrar 100% da carteira e eliminar a renda fixa.

Como ela se sente mais confortável com a carteira de fundos imobiliários e, embora eu também tenha esse tipo de fundo, acabo concentrando a minha carteira em ações e trade, e a junção das duas carteiras é que dá o equilíbrio ao patrimônio da família.

# CAPÍTULO 7
# BANCO DO BRASIL
## E A JORNADA RUMO À
## independência financeira

Como eu já contei pra você, entre a minha decisão de entrar para o Banco do Brasil e a concretização desse objetivo, decorreram alguns anos de trabalho e estudo.

Passar no concurso não foi sorte, mas sim resultado de planejamento e foco. São coisas que sempre fizeram parte da minha vida, não porque eu fosse "o cara" ou porque tivesse habilidades diferentes das outras pessoas.

# O MEU DIFERENCIAL

# TALVEZ FOSSE A OBSTINAÇÃO.

Minha meta era mudar de vida e alcançar a independência financeira, e nunca perdi isso de vista. Tendo definido uma estratégia não havia margem para erros, pois errar significaria retroceder e começar tudo de novo, e isso, definitivamente, não era uma opção.

Quando eu soube que o Banco do Brasil abriria concurso, a primeira coisa que me dediquei a analisar foi a dinâmica do concurso, para entender em quais regiões o número de candidatos por vaga era mais baixo e onde era possível obter a vaga com a menor pontuação na prova. Foi assim que descobri que a região denominada "Subúrbio" era a mais fácil e foi pra lá que me inscrevi.

O passo seguinte foi me matricular em um curso preparatório com aulas aos sábados e domingos, pois era o único tempo livre que eu tinha, já que nos demais dias eu lecionava e cuidava da loja.

Não posso deixar de dizer que Marta sempre foi uma companheira incrível. Eu não tinha tempo para nada, mas ela acreditava nos meus projetos e, sem a compreensão e o apoio dela, não sei se teria conseguido. Nessa época, nós já estávamos casados e vivendo a gestação de nossa primeira filha, Beatriz, então a responsabilidade era redobrada. Inclusive, a chegada de Beatriz é um fato tão marcante na vida de nossa família que merece um parêntese na história que estou contando.

O nome Beatriz vem do latim Beatrice e significa "a que traz felicidade", e não foi por acaso que o escolhemos. Minha mãe teve câncer de mama duas vezes. A primeira, quando eu tinha uns 18 anos, e a segunda, pouco antes de eu me tornar pai.

Um dos grandes sonhos de dona Joana era ser avó, e, quando ela adoeceu pela segunda vez, o medo de que ela morresse sem conhecer uma neta ou neto era algo que me consumia, e isso motivou nossa decisão de ter nossa primeira filha.

Felizmente, Deus foi muito bom com a gente e, após passar por cirurgia e quimioterapia, minha mãe ficou curada e pôde não só pegar sua primeira neta no colo, como também continuar com a gente até hoje, vivendo a alegria de conviver com quatro netos.

Mas, voltando ao concurso do Banco do Brasil, Bia estava a caminho, e eu sabia mais do que nunca que não poderia me dar ao luxo de falhar, mas isso não me assustava. De onde eu vim, tudo foi conquistado na raça, dependendo exclusivamente da minha dedicação e persistência. Então, essa seria apenas mais uma das empreitadas à qual eu me lançaria de cabeça, sem margem para erro.

Eu passei no concurso do Banco do Brasil em 24.º lugar da minha região e, no início de 2012, fui chamado para assumir o cargo de escriturário. Daí pra frente foi coração no projeto e sangue nos olhos. Eu queria crescimento profissional e a estabilidade de funcionário público. E queria logo!

Eu me dividia entre o Banco do Brasil, a loja de informática e o gerenciamento da minha carteira de investimentos. Tudo muito corrido, principalmente com uma bebê recém-nascida, mas eu tinha traçado um plano e, como sempre, sabia que foco e disciplina eram as qualidades que me ajudariam a alcançar minhas metas.

Normalmente, as promoções no Banco do Brasil acontecem depois de dois anos, mas eu não tinha todo esse tempo e resolvi que me dedicaria intensamente a isso. Foi então que mudei a loja de informática do antigo Shopping Iguatemi, em Vila Isabel, para outra sede, na avenida Paulo de Frontin, no Rio Comprido, e dei a loja para meu pai e meu irmão caçula, Heitor.

Foi uma vitória pessoal, que guardo com muito carinho na memória, pois finalmente meu pai não precisaria mais trabalhar como atendente de papelaria. Agora, o seu Salvador Mira era o proprietário de uma loja de suprimentos de informática. Poder proporcionar isso a ele foi muito importante pra mim, pois honrar pai e mãe deve ser nossa missão e acho que eu nunca conseguirei agradecer o suficiente por tudo o que meus pais fizeram por mim e por meus irmãos.

Com meu pai e meu irmão à frente da loja, voltei ao foco de crescer profissionalmente no banco e consegui minha primeira promoção com um ano de casa, o que me permitiu aumentar meus aportes na carteira de investimentos. Ao assumir o cargo de assistente de negócios, eu sabia que, dentro do plano de carreira do banco, eu levaria em média mais dois anos até chegar à gerência. Mas eu também sabia que era possível hackear o sistema: para me tornar assistente, o tempo médio também eram dois anos e eu levei apenas um.

Tinha certeza de que, se fizesse o meu melhor, poderia reduzir também o tempo para subir de cargo novamente, e deu certo. Um ano depois da primeira promoção, consegui chegar à gerência.

Além da melhora salarial, que permitiu turbinar meus aportes e acelerar meu plano de independência financeira, trabalhar como gerente de banco me trouxe grandes aprendizados.

Convivi com muitos clientes, dos mais variados perfis, e isso me ensinou muito sobre o comportamento econômico das famílias e os males que a falta de educação financeira pode causar.

Eu atendia muitas pessoas endividadas, e aquela era uma realidade que eu não queria para a minha vida. As histórias que ouvia diariamente reforçaram tudo em que eu já acreditava sobre a importância da disciplina, do planejamento dos gastos, de manter um orçamento muito controlado e não deixar o consumismo sabotar as metas.

Com três anos de BB, eu já tinha pós-graduação em pedagogia empresarial e toda a experiência de 15 anos como professor, então tentei atuar como um educador financeiro do banco. Eu já era um investidor com bastante experiência, também já era trader, entendia como funcionava o mercado e via com clareza o quanto os investimentos eram capazes de mudar a vida das pessoas.

Acontece que eu era o cara certo no momento errado. A popularização da educação financeira ainda não pautava os grandes bancos da forma como é hoje, e a área educacional do BB era bem restrita e sem um plano muito claro. Além disso, os cargos na área educacional só eram dados a pessoas com muitos anos de carreira, o que não era o meu caso, então desisti.

Mas, no dia a dia como gerente, eu buscava orientar as pessoas, ajudá-las a reorganizar a vida financeira e a usar o crédito com consciência. No entanto, essa minha vontade de ajudar encontrava algumas barreiras, pois eu não podia mencionar minha experiência como investidor por meio de corretora ou mesmo recomendar investimentos, já que isso conflitava com os produtos financeiros que o banco colocava como meta de venda.

Era muito difícil pra mim, por exemplo, ter que oferecer produtos nos quais eu não acreditava, porque sabia que não melhorariam a vida das pessoas. Eu não conseguia falar bem de títulos de capitalização e consórcio, ainda assim eu precisava cumprir as metas e vender esses produtos.

Só que eu não me conformava com essa limitação e, sendo um espírito inquieto, curioso e sempre em busca de novas oportunidades, descobri o Banco do Brasil DTVM, o setor responsável pela gestão de investimentos. Imaginei que ali seria o lugar ideal para trabalhar e me desenvolver, ao mesmo tempo que usaria meus conhecimentos de mercado para ajudar as pessoas.

Infelizmente, o entusiasmo passou bem rápido quando me explicaram que o time do BB DTVM recebia salário fixo e não ganhava participação na gestão dos recursos. Outro balde de água fria nos meus planos, afinal, àquela altura eu já me considerava um bom investidor de Bolsa de Valores, já fazia bastante trade e me dedicava muito a estudar o mercado. Não faria sentido empenhar meu conhecimento sem uma contrapartida financeira que me colocasse mais perto da minha meta de enriquecimento.

Comecei a perceber que eu era muito maior do que aquela burocracia e a carreira que o banco poderia me proporcionar, então adicionei mais uma tarefa ao meu planejamento de vida: estudar para obter mais uma certificação técnica.

Como eu já possuía as certificações CPA10 e CPA20,[6] resolvi fazer o MBA em Gestão de Investimentos e me tornar um especialista. Na sequência, fiz também a prova para o CNPI[7] e me tornei um analista técnico. Eu tinha finalmente entendido que a minha vida não poderia se definir apenas pela rotina de funcionário público, portanto, se quisesse alçar novos voos, eu precisava me qualificar mais.

Meu projeto começava a se desenhar com maior clareza: o sucesso e realização profissional estavam na Bolsa de Valores, na profissão de trader e, sobretudo, na educação financeira. Para seguir trilhando esse caminho, obter a certificação CNPI era importante, pois ela chancela o nível técnico do profissional.

---

6 | CPA é a sigla para Certificação Profissional Anbima, exigida dos profissionais que trabalham com produtos de investimento nas instituições bancárias.
A diferença entre CPA10 e CPA20 é o nível de conhecimento e de responsabilidades atribuídas aos profissionais. Para obter as certificações, é necessário ser aprovado em uma prova da Anbima, acertando no mínimo 70% das questões.

7 | CNPI é o Certificado Nacional do Profissional de Investimento concedido pela Apimec (Associação dos Analistas e Profissionais de Investimento do Mercado de Capitais) e é pré-requisito para o desenvolvimento de algumas atividades no mercado financeiro.

Trata-se de uma certificação obrigatória para profissionais de mercado que trabalham com análise de ativos financeiros, e somente profissionais certificados pela Apimec estão autorizados a fazer recomendações de investimento e produzir relatórios de análise de mercado.

Sendo assim, me tornar analista CNPI era mais um degrau importante do meu planejamento de carreira.

Eu já vinha construindo patrimônio fazia quase vinte anos, sempre com gastos controladíssimos e sem perder de vista a meta que me fez começar minha jornada: a independência financeira. Graças a essa conduta, e também aos bons resultados com que consegui investindo em renda variável, pude começar a planejar a minha saída do banco.

# COMO VOCÊ JÁ ENTENDEU, NÃO TOMO DECISÕES

# IMPULSIVAS, TUDO É FEITO COM MUITO ESTUDO, PLANEJAMENTO E FOCO.

Foram dois anos me dedicando a otimizar ainda mais meus investimentos e aumentar patrimônio para que a saída do banco não impactasse minha vida financeira nem prejudicasse a qualidade de vida da minha família.

# TEMPO DE COLHER

# CAPÍTULO 8
## OS DESAFIOS DE SER UM INVESTIDOR PROFISSIONAL

Nesse período de preparação para sair do Banco do Brasil, minha vida como investidor em Bolsa de Valores já era bem agitada. Mas nem sempre foi assim, pois, como já contei, demorei para começar a investir em renda variável.

Durante muito tempo, criei carteiras fictícias de swing trade me baseando exclusivamente no preço, sem levar em conta os fundamentos das empresas, e acabava perdendo muito com isso. Mas perder dinheiro fictício nas simulações me ensinou, entre outras coisas, a importância da gestão de risco.

Foi um longo processo de estudos até que eu finalmente entendesse as diferenças entre day trade e swing trade, análise técnica e fundamentalista, e tantas outras referências básicas que me tornaram um investidor profissional.

Obviamente, nessa caminhada nem tudo foi sempre um sucesso. Me lembro de um dia em que cheguei a perder mais de cinco mil reais em pouco mais de duas horas operando no day trade. Erro típico de um iniciante, que fazia as operações sem técnica, apenas usando a Bolsa como cassino.

# PERDER DOEU, MAS HOJE VEJO ISSO COMO UM INVESTIMENTO EM MEU APRENDIZADO.

Até porque eu não arriscava em day trade valores substanciais que pudessem colocar meu patrimônio em risco. Isso eu já tinha aprendido na fase dos simuladores.

> Gestão de risco é o conjunto de estratégias que o trader utiliza no dia a dia de suas operações na Bolsa de Valores, visando mitigar perdas e otimizar ganhos.
>
> Cada trader define um conjunto de parâmetros de acordo com suas metas, perfil, capacidade financeira e tipo de ativo que esteja negociando.
>
> Entre os parâmetros estão o número de contratos a operar por dia, volume financeiro operado, meta de ganho e limite de perda por trade.
>
> É fundamental ao profissional de trade ter esse plano muito bem traçado e segui-lo à risca, evitando assim que aspectos emocionais interfiram em suas decisões, expondo-o a níveis perigosos de risco. Esse plano de trade também é conhecido como Trade System.

O day trade é uma atividade de alto risco, que requer muito tempo e dedicação, e, como meu tempo era limitado, fui caminhando aos poucos, com operações pequenas, testando e aprendendo mais a cada dia.

Tinha também operações de swing trade, e me lembro particularmente de uma que me deu um ganho bastante significativo: o IPO da BB Seguridade, que é a divisão de seguros, previdência e capitalização do Banco do Brasil.

Um IPO (Inicial Public Offering) é a primeira venda de ações de uma empresa ao público, quando ela está entrando na Bolsa de Valores.

Estávamos em 2013, terceiro ano do primeiro mandato de Dilma Rousseff na Presidência. O PIB, ainda que com índices inferiores às projeções, vinha apresentando crescimento desde a posse da presidente, em 2011, e isso trazia algum otimismo ao mercado.

Esse otimismo provavelmente ainda era um reflexo tardio, impulsionado pelo afrouxamento da política monetária, com sucessivas reduções da taxa Selic entre outubro de 2011 e outubro de 2012.

Como processos de IPO são demorados e compostos por várias etapas antes de seu lançamento oficial na Bolsa, o período de queda da Selic certamente foi um dos impulsionadores do *boom* de ofertas públicas na B3 em 2013, mesmo que esse tenha sido um ano marcado pelo início da reversão de ciclo, com o Copom retomando o aperto monetário a partir de abril, visando conter a pressão inflacionária.

Foi nesse contexto que o ano de 2013 teve oito IPOs que proporcionaram ganhos expressivos aos acionistas, mesmo em meio à queda da Bolsa como um todo.

A oferta pública da BB Seguridade Participações S/A foi um grande sucesso, tendo arrecadado R$ 11,48 bilhões, o maior valor alcançado por uma empresa brasileira desde 2009, superando, inclusive, IPOs de gigantes como Twitter e Hilton no ranking mundial. O feito conferiu à BB Seguridade o prêmio de maior IPO do mundo em 2013.

Por ser funcionário do Banco do Brasil, eu tinha o benefício de entrar no IPO com um desconto de 17% sobre o preço da oferta pública, e isso possibilitou um ganho realmente significativo em curto espaço de tempo.

Mas não pense que foi simples. Por ser funcionário do Banco do Brasil, havia uma regra que me obrigava a ficar pelo menos quatro meses com as ações em carteira. Eu não vi problema nenhum nisso, pois eu tinha estudado bem o *case* da empresa e confiava na valorização dos papéis.

Meus colegas de banco me chamavam de louco, pois, de todo o pessoal da minha agência, eu era o que havia colocado mais dinheiro no IPO. Mas não dei bola para os comentários. Segui firme no meu propósito, pois eu tinha estudado muito bem o que estava fazendo.

No dia seguinte ao IPO, as ações da BB Seguridade começaram a cair. Dia após dia eu ficava ouvindo piadas e provocações, todo mundo dizendo que eu tinha feito bobagem, entrado numa fria e perderia muito dinheiro.

Houve um momento em que o *bullying* era tanto que cheguei a duvidar de minha capacidade de avaliação e resolvi rever minha tese de investimento, para me certificar de que não havia deixado passar algo ou cometido um erro absurdo.

Após reavaliar, tive certeza de que não havia errado na minha análise e voltei a ficar confiante. Passaram-se quatro meses, as ações da BB Seguridade se valorizaram 30%, e com o lucro desse IPO comprei um carro novo.

Se fosse hoje, certamente o lucro com essa operação teria virado um novo investimento, mas em 2013, com uma bebezinha em casa e sem as facilidades no transporte que existem hoje — como carros por aplicativos ou por assinatura —, ter carro era realmente necessário, e me senti muito orgulhoso por ter conseguido viabilizar essa compra sem desembolsar dinheiro, ou seja, apenas tangibilizando os resultados de minhas aplicações financeiras.

Além da satisfação com o bom resultado desse trade, guardei pra mim um aprendizado muito importante: decisões financeiras precisam se pautar por muito estudo em fontes confiáveis e jamais em opiniões de terceiros que não sejam profissionais gabaritados para opinar.

Imagine se eu tivesse me deixado levar pelo emocional, permitindo que os palpites aleatórios dos colegas de agência me tirassem o foco? Provavelmente teria vendido as ações com prejuízo, com medo de que continuassem se desvalorizando.

O que possibilitou que eu não caísse nessa cilada, me mantendo firme no plano traçado, foi a segurança proporcionada pelo conhecimento. Eu não tinha feito a compra impulsivamente, só com base no desconto que o banco concedia a funcionários. Não me pautei só pelo preço! Estudei o *case* da empresa, o cenário econômico do país, me cerquei de dados objetivos, e isso me levou a uma boa decisão. Trade é coisa séria e só funciona com muito estudo. Nunca se esqueça disso.

## A INDEPENDÊNCIA FINANCEIRA FEZ TODA DIFERENÇA

A partir de 2015, eu e Marta já tínhamos em carteira um montante que permitiu estruturar melhor a alocação. Pude, finalmente, destinar a maior parte exclusivamente ao que chamamos de buy & hold, que são ações e fundos imobiliários que levamos pra longo prazo (coisa de dez anos ou mais) na carteira que viria a se tornar o porto seguro da minha independência financeira.

Um fato interessante, que só percebi neste momento em que decidi estruturar uma carteira de longo prazo, é que a independência financeira já estava ali, na minha cara, e eu ainda não tinha me dado conta!

Só naquele momento percebi que o primeiro milhão em reais em patrimônio investido que eu e Marta conseguimos acumular juntos ao longo dos anos gerava dividendos em torno de cinco mil reais por mês, o que, dentro do nosso padrão de vida, era um montante suficiente para custear nossas despesas. Ou seja, havíamos conquistado nossa independência financeira.

> **DICA:**
> independência financeira não se trata de ser muito rico, com dezenas de milhões, inúmeros bens caríssimos e uma vida de luxos. Isso pode

> ou não significar independência financeira, pois depende muito da relação que se tem com o dinheiro, consumo e gestão de recursos. Na verdade, independência financeira é ter dinheiro trabalhando para você e gerando rentabilidade suficiente para pagar suas contas, sem depender de um salário para isso. Para atingir esse patamar, o fundamental é manter um custo de vida baixo e sempre muito controlado. Quando seus investimentos geram dividendos equivalentes às suas despesas, você se torna livre e tem muito mais segurança para buscar oportunidades cada vez melhores, pois já não se sente preso a um emprego que não o satisfaz ou que não ofereça perspectivas, só por depender dele para pagar as contas do mês. Sem essa limitação, você conquista autonomia. E no final das contas, é disso que se trata a independência financeira: autonomia para fazer escolhas.

## A CARTEIRA DE INVESTIMENTOS QUE NOS DEU LIBERDADE

É muito provável que você esteja pensando que minha carteira de investimentos era mirabolante e cheia de estratégias complicadíssimas. Não era e, inclusive, não é até hoje.

Montei uma carteira de investimentos cuja distribuição dos recursos era a seguinte:

- 40% investidos em fundos imobiliários, pois Marta virou fã dessa modalidade e sentia-se confortável com essa alocação, que se distribuía em fundos de recebíveis, fundos de shopping, logística e lajes;
- 40% em ações de empresas resilientes, especialmente dos setores de bancos, seguros, elétricas e saneamento;
- 20% distribuídos entre empresas de crescimento, trade e reserva de emergência.

O percentual destinado à reserva de emergência era bem pequeno por dois motivos: Marta e eu continuávamos trabalhando no Banco do Brasil, portanto tínhamos estabilidade e salários que bancavam o orçamento doméstico e ainda possibilitavam novos aportes.

Como os dividendos gerados pelos investimentos podiam ser integralmente reinvestidos, montamos uma carteira que, além de resiliente e geradora de dividendos, tinha uma parte com potencial para gerar crescimento patrimonial.

Ao longo dos anos, esses percentuais que mencionei foram se modificando, pois os aportes e reinvestimento dos dividendos propiciaram o aumento do patrimônio, de forma que foi possível aumentar o percentual da parte destinada a crescimento sem prejudicar a parte geradora de dividendos.

O segredo para chegar a esse resultado é o que já mencionei:

# MANTER O CUSTO DE

# VIDA BEM CONTROLADO.

> **DICA:**
> busque viver sempre um degrau abaixo do que sua renda permitiria viver. Primeiro gere nova receita e depois crie novas despesas. Eu só me permitia aumentar o meu custo de vida à medida que o fluxo mensal de dividendos ia aumentando. Infelizmente, a maioria das pessoas primeiro gasta e somente depois vai pensar numa forma de ganhar mais para dar conta de uma nova despesa, e aí é que está o erro que impede o crescimento patrimonial. Eu sempre fiz o inverso disso: primeiro aumentava os ganhos para depois poder aumentar os gastos.

## O PONTO DE VIRADA

Mesmo tendo alcançado a independência financeira, eu não parei com as operações de trade. A diferença é que passei a me dedicar a elas com maior tranquilidade, pois não dependia tanto desse tipo de operação para turbinar meu patrimônio. O plano traçado 15 anos antes e aprimorado ao longo desse tempo tinha dado certo.

Com a independência financeira embaixo do braço, em 2018 pedi demissão do cargo concursado no Banco do Brasil e aceitei uma proposta para trabalhar numa corretora de investimentos em São Paulo. Por algum tempo, me tornei um "faria limer".[8]

Fase peculiar da minha carreira, pois eu era literalmente um peixe fora d'água trabalhando com os engravatados da Faria Lima, um dos principais centros financeiros da América Latina.

Eu adorava o meu trabalho, mas havia uma discrepância enorme de estilo, projetos e valores pessoais, e isso me causava estranhamento, pois nunca me desconectei das minhas origens, e ali, no mundo da Wall Street brasileira, os hábitos e interesses não tinham nada a ver comigo.

Ainda assim, permaneci um ano na corretora, pois eu tinha traçado planos e não me desviaria da rota, mesmo tendo que me adaptar a um mundo totalmente diferente do meu.

---

8 | "Faria limer" é um termo que se popularizou no mercado financeiro para se referir, de forma divertida, às pessoas que trabalham no mercado financeiro em São Paulo, cujas empresas estão todas concentradas na região da avenida Brigadeiro Faria Lima, Zona Sul da cidade.

# CAPÍTULO 9
## SOBRE APRENDER, EMPREENDER E AVANÇAR

Quando se escolhe empreender, é preciso estar aberto ao novo o tempo todo. A parte boa é que a gente nunca para de aprender. A parte ruim é que nem sempre o aprendizado será pelo amor — há momentos em que é pela dor mesmo.

Se a frase "mar calmo não faz bom marinheiro" for verdade, acho que já posso me considerar capitão desse navio chamado vida, pois perrengues não faltaram. Mas também não faltaram bons amigos, parceiros comerciais incríveis e o apoio incondicional da Marta a cada nova guinada que precisei dar nos planos.

## O CANTO DA SEREIA, OU COMO O QUE PARECEU O FIM FOI UM NOVO COMEÇO

Um aprendizado duro, mas que foi muito importante nessa fase da vida: quando queremos muito uma coisa, às vezes não avaliamos todos os riscos envolvidos no processo e isso pode custar caro. Aconteceu comigo!

Em 2018, quando saí do Banco do Brasil para trabalhar na corretora em São Paulo, passei mais de seis meses fazendo ponte aérea, pois Marta e eu havíamos combinado que ela continuaria no Rio de Janeiro com nossa filha até que eu me estabelecesse totalmente e pudéssemos nos mudar em definitivo.

Quando recebi a proposta de trabalho da corretora, me prometeram que, quando eles fizessem seu IPO, eu receberia um bônus em torno de cinco milhões de reais. Para um cara nascido e criado em uma comunidade carente da Zona Norte do Rio, acostumado à miséria, aquele era o conto de fadas perfeito. Achei que fosse a oportunidade de uma vida e aceitei a proposta.

Mas a verdade é que foi uma época muito desgastante. Era comum eu virar madrugadas respondendo às dúvidas nos grupos do Telegram e do WhatsApp. Havia uma promessa da corretora de que eu ficaria responsável pela área educacional, então eu estava totalmente empenhado em me conectar com o público.

Em janeiro de 2019, fui conversar com o CEO da corretora, pois queria garantias antes de trazer minha família para São Paulo. Marta abriria mão de sua carreira no Banco do Brasil para me acompanhar, e esse era um passo muito grande e definitivo, então eu precisava de algo concreto.

Nessa conversa, o tal CEO me disse que eu poderia ficar tranquilo e, sobretudo, pensar no bônus anual que eu teria. Sendo assim, ainda em janeiro, voltei para o Rio e busquei minha família.

Durante algum tempo ficamos morando em um flat e depois em um Airbnb, até finalmente alugamos um apartamento. Nessa fase de morador novato em São Paulo, um amigo que me ajudou muito foi o Leandro Martins, e sempre serei imensamente grato a ele.

Infelizmente, nem todos no mercado são como Leandro, e eu descobri isso da pior forma: a corretora não cumpriu nenhum dos compromissos que tinha assumido comigo: não me pagaram o bônus relativo ao ano de 2018 e, faltando poucos dias para o lançamento do meu curso em parceria com eles, desistiram e ainda disseram que eu não poderia lançar sozinho. Mas eu lancei, é claro!

Deixei pra trás toda a promessa de enriquecimento com o IPO. Afinal, a corretora já tinha me dado rasteira antes, então nada garantia que eles não fariam isso novamente. Além disso, eu não poderia começar minha nova fase profissional associado a quem não tem palavra, pois ia contra meus valores mais estimados. Aprendi com meus pais e levo para a vida:

# HONRA VALE MAIS DO QUE DINHEIRO.

Foi um momento tenso e ao mesmo tempo incrível, porque ali decidi voltar às minhas raízes e fazer o que eu amo: lecionar. Pedir demissão da corretora e lançar a Mentoria Mira na Independência foi uma das melhores decisões que já tomei na vida.

Várias pessoas já me conheciam das redes sociais, dos grupos de Telegram e WhatsApp, das aulas da Jornada da Desfudência e da Me Poupe!, e a pergunta sobre quando eu teria um curso era recorrente.

Nathalia Arcuri foi uma das grandes incentivadoras desse projeto. Eu já trabalhava com ela em seu curso de educação financeira desde 2018, dando aulas de renda variável. Quando contei que abriria uma turma de mentoria financeira, Nath não mediu esforços para me estimular e compartilhar o que sabia sobre marketing digital.

Meu lançamento foi algo totalmente orgânico. Não fiz campanha, não investi em marketing e, na verdade, nem equipe eu tinha. Éramos, mais uma vez, eu e minha determinação.

Imaginei que teria uns trinta ou quarenta alunos, mas na realidade, 250 pessoas acreditaram no meu projeto e compraram o curso no escuro, sem saber exatamente como seria. Eu era a microcap que eles acreditaram que ia dar certo.

> **Microcap** é uma designação que o mercado financeiro utiliza para classificar empresas de pequeno porte com alto potencial de valorização, porém com riscos também muito elevados.
>
> Várias das grandes corporações hoje consolidadas na Bolsa de Valores e classificadas com blue chips já foram microcaps.
>
> Existem também as **small caps**, cujo termo é a abreviação de "small capitalization". Isso significa que essas empresas têm menor liquidez. São empresas pequenas, porém com bom potencial de crescimento.
>
> **Blue chips** são as principais empresas das Bolsas, com altos volumes negociados no mercado diariamente, ou seja, com grande liquidez e conhecidas por serem sólidas.

Resgatei o melhor de mim e, de novo, tive sangue nos olhos para me dedicar ao meu verdadeiro propósito. Afinal, se 250 pessoas acreditavam em mim, como eu poderia não acreditar?

Paguei pra ver e valeu a pena. O lançamento do curso foi um sucesso que, além de muita alegria, trazia também novos desafios. Eu fazia tudo sozinho, montava as aulas, gravava, fazia upload na plataforma Hotmart e dava suporte aos alunos no Telegram. Era uma rotina insana e apaixonante.

Quando o curso terminou, em outubro de 2019, fiz um evento de encerramento. Convidei vários amigos do mercado financeiro para palestrar, e os alunos vieram em massa, dos mais diversos cantos do Brasil.

No palco do evento que batizamos como Miraday, olhando para todas aquelas pessoas na plateia, entendi que ali estava meu novo ponto de virada: dar aulas era o meu propósito de vida, e transformar a vida das pessoas por meio da educação já era algo maior do que eu mesmo.

Nesse dia, tudo o que eu tinha vivido até então passou diante de mim, e o sentimento foi de que cada minuto, cada perrengue valeu a pena. Entendi, de uma vez por todas, o significado da palavra propósito.

Aquilo que a gente faz com verdade reverbera intensamente e agrega em torno de si quem estiver na mesma frequência. O Miraday foi exatamente isso, pessoas em busca do mesmo ideal de transformação e crescimento, juntas, confraternizando e me deixando lindamente uma mensagem: siga em frente.

Quando a primeira turma da mentoria chegou ao fim, havia uma fila de espera de mil pessoas para a próxima turma. Tudo isso sem publicidade alguma, sem estratégias de lançamento habitualmente usadas no marketing digital, sem nada! De onde vinha toda essa gente?

Eram pessoas que tinham visto a transformação na vida desses primeiros 250 alunos. Assim, veio a Turma 2 da mentoria Mira na Independência e, depois, a terceira e última.

## EDUCAÇÃO FINANCEIRA EM PLENA PANDEMIA E COMO ME TORNEI PAI DE UM MONTE DE GENTE

O ano de 2019 foi intenso em todos os sentidos. Eu trabalhava na mentoria, no mercado financeiro e, em paralelo, me dedicava aos cuidados com meu pai, cuja saúde ficou muito fragilizada depois de um AVC.

Quando as aulas da Turma 2 começaram, em janeiro de 2020, eu estava numa correria insana, mas, ao mesmo tempo, animado com o novo desafio. Entretanto, em março veio a pandemia da Covid-19 e seus seis circuit breakers na mesma semana. Foi um momento muito intenso. Eu tinha que dar suporte a todos os alunos, mostrar as oportunidades e, ao mesmo tempo, acalmá-los, pois a maioria era iniciante no mundo dos investimentos e, no terceiro mês de curso, já estavam passando por um batismo de fogo que nem mesmo experts do mercado tinham vivido.

Além da crise sanitária que assolava a todos com perdas humanas em escala assustadora, o caos econômico se instaurou nos mercados, motivado tanto pelo pânico dos investidores diante das incertezas quanto pela paralisação das atividades, impondo retração ao consumo e à economia mundial.

Meu papel era explicar aos alunos, na prática, que, do ponto de vista econômico, a pandemia era um evento com efeito circunstancial e não duradouro dentro de um contexto de longo prazo. Expliquei também que o pânico dos mercados produz grandes oportunidades de investimento àqueles que possuem ponderação, planejamento e reservas financeiras para aproveitar momentos em que bons ativos estejam descontados, como era o caso naquele início de pandemia.

Longas conversas do grupo do Telegram, lives de orientação e muitos atendimentos depois, os alunos começaram a se tranquilizar e entender que as empresas não deixariam de existir, especialmente aquelas de setores resilientes, cujos produtos e serviços são imprescindíveis à continuidade da vida, como empresas de energia elétrica, saneamento, bancos e tecnologia.

A partir daí, pude começar a fazer análises e recomendações de compra. Quem se guiou por elas certamente ganhou um bom dinheiro com a valorização dos ativos quando a economia começou sua retomada.

Em meio a tantos desafios, a Turma 2 me trouxe algo especial: os Minimiras.

Alguns tinham vindo da Turma 1, como a Melissa Nunes, Caio Naka, Joel Messias, Carol Arêas e a Cris Donini, que eu convidei para participar da Turma 2 como ouvintes e para ajudar os novos colegas na jornada de aprendizado.

Ao longo da Turma 2, algumas pessoas extremamente dedicadas foram se destacando e se tornando muito próximas, pois tinham na essência o mesmo propósito que eu: ajudar no desenvolvimento do grupo e compartilhar conhecimento.

Eu me lembro da Renata Veloso, que voluntariamente montava resumos das aulas e compartilhava com os colegas, da Leiva Botelho, da Karol Weber, do Miguel Martello, Jessica Garcia, Kamila Alves e da Tatá Alencar que ajudavam no grupo do Telegram respondendo dúvidas dos colegas, entre outras várias pessoas se ajudando mutuamente o tempo todo. Eu olhava aquilo e pensava: esse é o espírito da Famira, e isso é muito maior do que eu.

Veio a Turma 3, a última da mentoria, mas que foi igualmente mágica e importante para agregar ao time de minimiras pessoas especiais como Cris Kobata, Lu Porto e Hellen Kato.

E assim foram três turmas da mentoria Mira na Independência, a primeira fase e verdadeiro alicerce de tudo o que passei a realizar a partir daí.

Mudei o curso, mudei estratégias, mas uma coisa permanece imutável:

# TRANSFORMAR A VIDA DAS PESSOAS POR MEIO DA EDUCAÇÃO.

# CAPÍTULO 10
# AMIZADE BOA
## É A QUE TE DESAFIA
# A EVOLUIR TODOS OS DIAS

É muito comum ouvir por aí que o mercado financeiro é um segmento muito frio e que as pessoas são distantes e individualistas, mas, em geral, minha experiência tem sido diferente.

Penso que o mercado financeiro é exatamente como todos os segmentos: há pessoas dos mais variados perfis e valores pessoais, e sempre haverá aquelas com as quais nos identificamos e outras com quem convivemos apenas por força das circunstâncias. A vida é assim, independentemente da área em que você atue.

O fato é que a atitude que adotamos diante da vida explica muita coisa sobre o tipo de pessoas que atraímos. Por uma conjunção de fatores — seja por atitude ou sorte —, no geral sempre atraí pessoas com os mesmos propósitos que os meus, o que tem possibilitado trocas muito enriquecedoras.

Uma dessas pessoas é minha amiga Nathalia Arcuri. Como já mencionei antes, ela foi uma das grandes incentivadoras da minha carreira como educador financeiro e, ao longo dessa jornada, acabamos nos tornando grandes amigos e sócios.

Tudo começou naqueles grupos de WhatsApp dos quais eu participava devido ao meu trabalho na corretora. A Nath era uma das influencers que tinha contrato de patrocínio com a corretora onde eu trabalhava, por isso estávamos em vários grupos em comum.

Só depois de vários meses dentro dos grupos, trocando informações sobre investimentos, é que nos conhecemos pessoalmente. Foi numa festa de final de ano da corretora, em que conversamos bastante, e Nath foi tão gentil e atenciosa que acabei me colocando à disposição para ajudá-la com assuntos do mercado.

Em 2018, quando o canal Me Poupe! tinha três anos de existência, Nath resolveu lançar o curso Jornada da Desfudência e me convidou para colaborar na estruturação do programa de aulas.

Passamos uma tarde inteira falando de educação financeira e seu potencial transformador e, desde então, nunca mais paramos de conversar sobre isso e produzir juntos. A princípio minha contribuição seria com dicas e conteúdos, mas as coisas estavam fluindo tão bem no nosso trabalho juntos que a Nath me convidou para ser professor no seu curso e fazer recomendações de ativos de renda variável aos alunos.

Na primeira turma da Jornada da Desfudência, minha participação era em uma aula ao vivo que fazíamos juntos, mas, na segunda turma, Nath sugeriu que eu assumisse sozinho a aula sobre renda variável. Eu adorei a ideia, afinal, na minha vivência como educador, já estava acostumado tanto com a sala de aula tradicional quanto com a sala on-line, então fazia aquilo com total naturalidade.

Confesso que nem passava pela minha cabeça que essa habilidade de comunicação fosse um diferencial. Pra mim era algo natural, e foi Nath, com sua ampla experiência com comunicação no mundo do jornalismo, que me mostrou o quanto aquilo que eu fazia era especial.

Nossa sintonia crescia cada vez mais, e a todo momento conversávamos sobre projetos que gostaríamos de fazer juntos.

Nathalia foi muito acolhedora e generosa. Colocou a Me Poupe! à minha disposição e, inclusive, me convidou para ajudá-la a tocar adiante o projeto Me Poupe! como um todo. Entretanto, eu já sabia exatamente qual era o meu caminho e a vocação falou mais alto. Assim me prontifiquei a seguir em parcerias com a Me Poupe!, mas não no âmbito administrativo, e sim no educacional, que é o que amo fazer.

Desde a minha saída da corretora, eu já tinha decidido que, dali pra frente, trabalharia no que estivesse alinhado à minha vocação e propósito. E assim segui como consultor educacional, dando suporte aos conteúdos do canal Me Poupe!, mas gestando ali o projeto de voltar à sala de aula e tornar o tema renda variável e Bolsa de Valores acessível a todas as pessoas.

## RENDA VARIÁVEL SEM ECONOMÊS: NASCE O MCN1

O curso Minha Carteira Número 1 nasceu como resultado de dois projetos: fazer algo grande junto com a Me Poupe! e tornar os investimentos em Bolsa de Valores acessíveis para o maior número possível de pessoas.

A essa altura, o Me Poupe! já era o maior canal de finanças do mundo. Para que esse projeto impactasse um número gigante de pessoas, fui além do curso e passei a fazer vídeos com dicas sobre renda variável no canal do Me Poupe! no YouTube.

Hoje posso afirmar, sem medo de parecer pretensioso, que o trabalho que eu e Nath Arcuri fizemos a partir do MCN1, levando conhecimento sobre Bolsa de Valores para milhares de pessoas, contribuiu muito para o crescimento do número de investidores pessoa física na B3. O curso Minha Carteira Número 1 superou todas as nossas expectativas, e olha que, em se tratando de Nathalia Arcuri, imagino que você saiba que não existe sonho pequeno! Mas, mesmo para nós, o interesse do público pelo curso surpreendeu positivamente.

No momento em que escrevo este livro, estou finalizando o último módulo da Turma 4 do curso Minha Carteira Número 1. Desde a Turma 1, em 2020, até agora, impactamos positivamente a vida de mais de quarenta mil alunos no Brasil e no exterior.

O motivo do sucesso do curso? Foco nas pessoas e nos seus projetos de vida e linguagem acessível.

# FALAR DE MERCADO NÃO PRECISA SER COMPLICADO.

Ao contrário, tem que ser simples se quisermos verdadeiramente democratizar o acesso às informações. Esse é nosso propósito e a receita do sucesso do curso. No mais, é muito amor à educação e uma parceria comercial com alicerce forte na amizade e admiração mútuas.

Mas não pense você que essa admiração enorme que temos um pelo outro faz da nossa relação sempre um mar de rosas. Vou te contar um segredo: na maioria das vezes é bem o contrário disso.

Talvez você até já tenha nos visto discordar um do outro em alguns vídeos. Eu sei que tem muita gente que acha que é só encenação para deixar o vídeo mais divertido, mas a verdade é exatamente o inverso. Nos vídeos a gente pega leve! As discussões que você vê ali não são nem metade das que acontecem fora da tela.

O fato é que temos visões diferentes sobre várias coisas, inclusive sobre algumas estratégias de investimento, e, como nenhum dos dois é de ficar calado, as discussões acabam sendo bem acaloradas. Inclusive, volta e meia acontece de encerrarmos uma reunião indo cada um para um lado, um discordando do outro e ninguém querendo ceder.

O mais bacana é que nossas discordâncias dizem respeito a coisas bem específicas, muito mais ligadas ao modo de fazer do que propriamente sobre o que fazer. No final das contas, o propósito, a amizade e a confiança prevalecem, e a gente sempre dá um jeito para que nossos projetos fluam, cada um contribuindo naquilo em que é melhor.

Essa nossa cumplicidade acabou me levando a participar bem de perto do dia a dia da Me Poupe! e, mesmo não tendo aceitado nenhum cargo no corpo diretivo da empresa, sempre busco contribuir com opiniões sinceras. É fato que nem sempre as opiniões agradam, pois minha lealdade aos amigos envolve sempre falar o que penso, mesmo que isso não seja exatamente o que a pessoa gostaria de ouvir, e com Nathalia não seria diferente.

Acredito que exatamente por isso nossa relação profissional siga dando tão certo e rendendo bons frutos. A gente pode discordar, mas somos leais e verdadeiros sempre.

A parceria com a Me Poupe! me dá muito orgulho, pois o que nos une, além desse compromisso com a ética e com a veracidade, é a vontade de gerar impacto social e transformar a vida das pessoas.

Acredito que Nathalia e eu seguiremos juntos nessa jornada por muito tempo, afinal, em um país como o nosso, ainda há um longo caminho até que possamos, finalmente, colher os frutos da educação financeira em larga escala, e numa coisa eu e ela concordamos muito:

# ESTAMOS SÓ NO COMEÇO!

# EPÍLOGO

Eu iniciei este livro pensando na trajetória incrível que o pequeno Dudu percorreu até se tornar o empresário e investidor Eduardo Mira, e sinto muita alegria quando penso na quantidade enorme de oportunidades que tem surgido desde então.

Em 2021, quando estive na sede do Google, a convite deles, para palestrar para os colaboradores, mais uma vez o garotinho lá do Morro do Turano me espreitava orgulhoso com o quanto a gente tá indo longe com essa história de que o conhecimento liberta.

Esse é o meu propósito, e ver que hoje posso ter voz em tantos espaços me faz acreditar que isso é só o começo.

Novos planos estão sendo gestados neste momento. Meu foco é seguir realizando projetos que tenham o poder de transformar a vida das pessoas por meio da educação financeira e me dedicar mais intensamente ao projeto mais importante da vida: minha família.

Toda a caminhada até aqui foi me mostrando que acumular dinheiro não é um fim, mas sim um meio. Dinheiro só tem sentido quando serve para tornar a vida uma aventura feliz, saudável, solidária e cheia de boas histórias ao lado das pessoas que amamos. Hoje esse é meu maior plano.

Estou cuidando da saúde, voltei a praticar mergulho esportivo e quero viajar com minhas filhas para mostrar o mundo a elas.

Entendo que a maior herança que eu e Marta podemos deixar para Beatriz e Alice, além da educação, é a sensação de uma vida bem vivida, cheia de amor, união e bons momentos em família. Foi essa a herança que recebi de meus pais, e ela é que me deu estrutura para traçar meus próprios caminhos sem permitir que as circunstâncias me limitassem.

Graças a isso, o ponto de partida de Bia e Alice é bem mais privilegiado do que o meu, mas elas sempre terão consciência de suas origens, para que entendam que ter dinheiro não define quem somos, mas possibilita que façamos escolhas boas para nós e para nossa comunidade.

Ao longo dessa trajetória, virei um colecionador de histórias de transformação da minha própria vida, da vida da minha família e da dos meus alunos e alunas. É apaixonante, e já não consigo me imaginar sem fazer isso.

Na Famira, temos pessoas com carteiras de milhões e que desejam autonomia para investir melhor, temos profissionais do mercado que vêm em busca de aperfeiçoamento e temos também quem nunca investiu. Para esses últimos a transformação é mais significativa, pois a educação financeira lhes dá o poder de realizar o que antes consideravam impossível.

É um processo sem volta. Quanto mais ajudo as pessoas a reinventarem suas histórias, me reconheço em cada uma delas, e isso renova meu desejo de alcançar cada vez mais pessoas. É um ciclo contínuo, onde aprendo um pouco mais a cada dia.

Esse é o fim do livro, mas não o fim da história. Como sempre brinco ao final de cada aula: foi um prazer estar com vocês, brincar com vocês.

Tal qual os meus cursos de finanças, o livro acaba, mas não termina. Cada um de nós pode ser um agente de transformação, e essa ideia é o que move meu trabalho.

Se quiser se juntar a mim nessa corrente do bem, será um prazer compartilhar a caminhada, e para isso a única coisa que peço é que leve esse conhecimento adiante.

Então, se este livro trouxe *insights* bacanas, não guarde pra você, espalhe esse conhecimento por onde passar! O que fazemos aqui vai reverberar pela eternidade! A transformação que provocamos na vida de uma pessoa passa de geração para geração, e, de certa forma, isso nos torna imortais!

Deixo aqui um trecho de "A vida é desafio", dos Racionais MC's, para que você lembre sempre que a hora é agora.

*O pensamento é a força criadora*
*O amanhã é ilusório porque ainda não existe*
*O hoje é real*
*É a realidade que você pode interferir*
*A oportunidade de mudança*
*Tá no presente*
*Não espere o futuro mudar sua vida*
*Porque o futuro será a consequência do presente*
*Parasita hoje, um coitado amanhã*
*Corrida hoje, vitória amanhã*
*Nunca esqueça disso, irmão*

Conhecimento é libertador. Estude e, sobretudo, acredite em você, pois eu acredito!

# DICA-BÔNUS

Existe fórmula para ganhar dinheiro na Bolsa de Valores? Sim e não! Se fosse possível criar uma fórmula matemática para ensinar as pessoas a atingir suas metas financeiras, eu penso que ela seria representada por:

$$\text{Liberdade financeira} = (A * ANC)^T$$

Sendo: A (aportes), ANC (ativos não cíclicos), T (tempo), pois o segredo para ter sucesso investindo em Bolsa é aportar todos os meses por um longo tempo. E a escolha de ativos não cíclicos dá-se por serem ações que, via de regra, andam mais para cima do que para baixo, possibilitando, no longo prazo, uma evolução contínua.

Claro que a "fórmula" acima não é uma equação matemática, mas sim uma representação gráfica do que você precisa levar para a sua vida investidora. Essa foi a fórmula do meu sucesso e desejo que seja também a do seu.

Bons investimentos!

# AGRADECIMENTOS

Leandro Martins
Nathalia Arcuri
Todo o time da Me Poupe!
Minimiras
Daniel Nigri
Rafael Zattar
Sergio Gaspar
Jorge Lessa
Tio Carlinhos

Agradeço também aos mais de quarenta mil alunos que confiam no meu trabalho e me dão a oportunidade de participar de sua jornada investidora.

# DICIOMIRA
## GLOSSÁRIO DE TERMOS
# DO MERCADO

O Diciomira é um presente meu para você, com as principais expressões usadas no dia a dia do mercado traduzidas em linguagem simples e objetiva.

Não se trata de um glossário técnico, mas sim de um material para consulta rápida, por isso busquei tratar cada termo de forma bem coloquial, para que você tenha um norte quando estiver estudando e algumas dessas expressões surgirem.

Espero que você aproveite muito e que este seja o pontapé inicial para despertar seu interesse em aprofundar seus estudos.

# A

## AÇÕES
São títulos que representam um pedaço de uma empresa. Comprando uma ação, você se torna sócio da empresa, tendo participação nos lucros dela.

## AÇÕES ORDINÁRIAS (ON)
São aquelas representadas por um código com um dígito 3 no final. Essas ações dão aos acionistas direitos de participação e de voto durante as assembleias que decidem os rumos da empresa.

## AÇÕES PREFERENCIAIS (PN)

São identificadas, em geral, pelo número 4 no final do código, mas também podem ser representadas pelos números 5, 6, 7 e 8, conforme regras definidas no estatuto. As ações preferenciais não dão direito a voto em assembleia, mas, em contrapartida, o acionista possui preferência, como o próprio nome diz, na distribuição de dividendos e na eventual dissolução da empresa.

## ÁGIO

É um termo utilizado para designar a diferença do valor pago em excedente, ou seja, quando pagamos por um ativo um preço acima do seu preço de mercado.

## AMERICAN DEPOSITARY RECEIPTS (ADR'S)

São certificados de valores mobiliários de empresas brasileiras emitidos nas Bolsas dos Estados Unidos. É uma forma de investidores norte--americanos adquirirem valores mobiliários de empresas brasileiras.

## AMORTIZAÇÃO

Em relação a despesas, é a parcela apropriada do ágio em empresas investidas e que constam no balanço patrimonial. Ou seja, é a parcela que vai sendo abatida do valor pago acima do preço de mercado por participações em outras empresas.

## ANÁLISE FUNDAMENTALISTA

Análise que considera o desempenho das empresas para definir uma operação de montagem ou desmontagem de posições em ativos. São analisadas a saúde da empresa, a evolução dos resultados das suas demonstrações financeiras, além do histórico da companhia, suas estratégias e seu modelo de governança, que são usados como base para a precificação futura de suas ações.

## ANÁLISE TÉCNICA

É o estudo dos movimentos dos preços dos ativos, por meio de gráficos, para prever a tendência de um preço. Pode ser associada ao uso de indicadores gráficos, com o auxílio de plataformas de análise.

## ASSEMBLEIAS

Eventos em que são apresentadas, discutidas e votadas questões fundamentais para o desempenho futuro da companhia. Obrigatórias pela legislação, as assembleias podem ser de dois tipos:

### - ASSEMBLEIA GERAL EXTRAORDINÁRIA (AGE),

sem data certa, pois pode acontecer todas as vezes em que a companhia apresentar um assunto importante para discutir e votar, como aqueles que deverão ser comunicados via fato relevante.

### - ASSEMBLEIA GERAL ORDINÁRIA (AGO),

com ocorrência anual e foco na prestação de contas do ano anterior, encaminhamentos para os lucros auferidos, escolha de novos membros do conselho fiscal e aspectos relacionados ao capital social.

## ATIVO

Todo investimento em bens e direitos que podem gerar receita futura. Relaciona-se com a aplicação e destinação dos recursos da empresa.

# B

## BALANÇO PATRIMONIAL

Demonstração que apresenta como está o patrimônio da empresa e sua composição contábil e financeira. É formado pelos ativos (bens e direitos), pelos passivos (dívidas e obrigações) e pelo patrimônio líquido (capital próprio, lucros, reservas etc.).

## BENCHMARK

No mercado financeiro, trata-se de uma referência para medir o desempenho de um investimento, carteira ou estratégia em relação a determinado índice ou conjunto de indicadores.

## BETA

É uma medida de sensibilidade de como o retorno de uma ação tende a se comportar em relação às alterações no benchmark. No Brasil, o benchmark é o Ibovespa, que possui Beta igual a 1 (um).

## BOLETA

É um formulário eletrônico acessado dentro do home broker e por meio do qual é possível enviar as ordens de compra e venda de ativos. É na boleta que é preenchido o ticker do ativo, a quantidade e o valor da negociação.

## BOLSA DE VALORES

É o ambiente em que ocorrem as negociações de títulos de valores mobiliários, como ações, fundos imobiliários e commodities. É na Bolsa que quem quer vender seus papéis encontra quem quer comprá-los, por meio de sistemas automatizados de intermediação financeira, com processos padronizados para garantir segurança, transparência e liquidez nas operações. No Brasil, temos uma única Bolsa de Valores, a B3, que surgiu da fusão das antigas Bovespa, BM&F e Cetip.

## BOOK DE OFERTAS

É o local em que podemos consultar as informações dos ativos, o preço de demanda para compra, o preço de oferta para venda e também as quantidades ofertadas e demandadas.

## BOOKBUILDING

Processo em que uma empresa com intenções de abrir capital avalia, junto ao mercado, como seria a demanda pelas suas ações e o preço de negociação delas.

## BRAZILIAN DEPOSITARY RECEIPT (BDR)

Também conhecido como certificado de depósito de valores mobiliários, é um valor mobiliário emitido no Brasil que representa outro valor mobiliário emitido por companhias abertas, ou assemelhadas, com sede no exterior.

## BUY AND HOLD

Estratégia de investimento na Bolsa em que o investidor compra o ativo e espera um prazo longo para alcançar o retorno e obter formação de patrimônio. Aproveita momentos de crise para adquirir ações baratas e possíveis vendas ocorrem apenas para equilibrar a carteira. Para essa modalidade, é de suma importância a escolha de empresas com bons fundamentos.

# C

### CALL
São tipos de opções de compra. Portanto, quem compra uma opção do tipo call está adquirindo um direito de comprar o ativo, por um determinado preço, em uma determinada data.

### CAPEX
Recurso gasto pela empresa em projetos de investimentos.

### CAPITAL ASSET PRICING MODEL (CAPM)
Modelo matemático que busca analisar a relação entre o risco e o retorno esperado de um investimento. Utilizado para a precificação de ativos.

### CIRCUIT BREAKER
Representa o leilão de todos os ativos da Bolsa de Valores em que as negociações são automáticas e temporariamente suspensas para a equalização das ordens de compra e de venda.

### COME-COTAS
Consiste no adiantamento do IR em alguns tipos de fundos de investimentos, recolhido pelo administrador no último dia útil do mês de maio e de novembro, mesmo que não haja resgate.

### COMISSÃO DE VALORES MOBILIÁRIOS (CVM)
Órgão público vinculado ao Ministério da Economia que autoriza, regula e fiscaliza o funcionamento de instituições e a atuação de profissionais no mercado de capitais.

### COMMODITIES
Mercadorias de origem primária que podem ser padronizadas para comercialização em Bolsa no mercado futuro. Exemplos: açúcar, milho, soja, boi, petróleo, ouro etc.

### CONTRATOS FUTUROS
Contratos de compra e venda de um ativo objeto para liquidação em data futura, negociados exclusivamente em Bolsa.

### CORRETAGEM
Taxa cobrada por algumas corretoras para a realização das operações de compra e venda de ativos. Pode ser fixa ou percentual sobre as operações.

# D

### DATA-COM (DATA-BASE)
Data em que o acionista ou cotista precisa possuir o ativo para receber proventos ou ter outros direitos (inplit, split, voto etc.) anunciados pela empresa ou fundo imobiliário. É necessário ter o ativo na carteira e não realizar transações com ele na data da virada do data-com.

### DATA-EX
Data a partir da qual a aquisição de ativos é realizada sem que o adquirente possa receber os proventos ou exercer outros direitos anunciados pela empresa ou fundo imobiliário.

### DAY TRADE
Tipo de operação em que a compra e venda ou a venda e compra do mesmo ativo ocorrem no mesmo dia. Tem como objetivo aproveitar os movimentos de curtíssimo prazo.

### DEMONSTRAÇÃO DA MUTAÇÃO DO PATRIMÔNIO LÍQUIDO
Mostra as mudanças no patrimônio líquido da empresa. Geralmente, são mudanças relativas a entradas de lucro líquido, saídas de dinheiro em forma de proventos, subscrições de ações, recompras de ações, ações em tesouraria etc.

### DEMONSTRAÇÃO DO FLUXO DE CAIXA (DFC)
É composta por tudo o que entra e sai do caixa da empresa. São todas as operações que impactam o caixa da empresa, seja aumentando ou diminuindo seu valor.

### DEMONSTRATIVO DO RESULTADO DO EXERCÍCIO (DRE)
É um demonstrativo muito importante, que apresenta os valores da atividade da empresa e o que impacta essa atividade. Com base nele, é possível verificar as margens de lucro, o nível de venda, as despesas e custos etc.

### DEPRECIAÇÃO
Parcela de um ativo imobilizado que foi usado em determinado período, e que pode ser abatida do lucro antes do IR. Funciona como um benefício fiscal, pois não há saída de dinheiro do caixa da empresa.

## DERIVATIVOS

São instrumentos financeiros cujos preços estão ligados a outro instrumento, dito de referência.

## DESÁGIO

Termo que se refere à diferença entre o valor nominal ou contábil de um ativo e o seu valor de mercado atual. Em relação ao conceito de lucros e perdas, o deságio é entendido como uma desvalorização ou redução do valor real de um ativo financeiro no mercado de capitais.

## DESDOBRAMENTO (SPLIT)

Divisão do preço da ação e aumento da quantidade de papéis em negociação, para facilitar o acesso e aumentar a liquidez do papel. Durante um split, temos o aumento do número de ações conforme o desdobramento realizado. O valor da empresa continua o mesmo.

Exemplo: vamos supor que uma empresa ofereça cem ações ao preço de R$ 10,00 cada, totalizando o valor de R$ 1.000,00. Se a empresa resolver fazer um split, dividindo cada ação pela metade, o investidor passará a ter duzentas ações ao preço de R$ 5,00 cada, mantendo, assim, o mesmo valor total de R$ 1.000,00.

## DESPESAS

Representam a saída de dinheiro em forma de gastos.

## DIVIDEND YIELD

Significa o quanto a empresa distribui em dividendos sobre o valor da ação. É demonstrado em termos percentuais.
DY = (valor do dividendo por ação/cotação da ação)*100

## DIVIDENDOS

São a parte do lucro líquido ajustado de uma empresa que é dividida entre os acionistas.

## DOCUMENTO DE ARRECADAÇÃO DE RECEITAS FEDERAIS (DARF)

É o documento utilizado para pagamento de impostos referentes ao ganho/lucro adquirido em operações realizadas na Bolsa de Valores. O investidor deve observar as regras de tributação específicas do tipo de investimento realizado.

# E

## EBITDA
Sigla em inglês cuja tradução é "lucro antes de juros, impostos, depreciação e amortização". É o lucro das atividades operacionais da empresa, sem levar em consideração benefícios fiscais ou despesas que não afetam o caixa.

## ENTERPRISE VALUE
Expressa o valor da firma, ou seja, quanto a empresa vale. Considera o valor de mercado (ver *market cap*) mais o valor das dívidas (que pode ser bruta ou líquida, dependendo da fórmula de análise).

## EXCHANGE TRADED FUNDS (ETF)
São carteiras que replicam algum tipo de índice ou fundo de investimentos, simplificando os investimentos e permitindo a compra de uma unidade que contém vários ativos em sua composição.

# F

## FAMIRA
Relativo à família. Comunidade de pessoas com o mesmo objetivo. Laço forte de companheirismo. Prazer inenarrável. Formada por um caminhão de informações. Coletivo de miradeiros. Ressignifica o jeito de ensinar. "É só um exemplo, criatura." Transforma e liberta seus integrantes por meio do conhecimento. É para sempre. (Definição criada pelos alunos da turma 1 do MCN1.)

## FATO RELEVANTE
Informações obrigatórias fornecidas ao mercado, em decorrência de eventos aprovados em assembleias ou ocorridos na empresa e cujos impactos sejam de interesse de todos os acionistas.

## FLUXO DE CAIXA DESCONTADO (FCD)
Método para determinar o valor justo de uma ação no presente, com base em projeções de

resultados futuros. Método de valuation mais utilizado pelos analistas para calcular o preço justo de uma ação.

## FUNDOS CAMBIAIS

Os fundos cambiais funcionam como fundos de ações. A diferença é que acompanham a variação de preço de moedas estrangeiras, como o dólar.

## FUNDOS DE AÇÕES

São carteiras com vários ativos de empresas diferentes, gerenciadas por gestores que acompanham o mercado. Nesse tipo de investimento, você faz aportes e o seu lucro vai depender do desempenho desses ativos. É o único fundo de investimento que não possui come-cotas.

## FUNDOS DE RENDA FIXA

São investimentos que possuem pelo menos 80% da sua carteira de investimentos em ativos de renda fixa, como títulos públicos, CDBs, debêntures etc. Os 20% restantes são investidos em outras classes de ativos, como derivativos, por exemplo, com o objetivo de aumentar a rentabilidade, principalmente em épocas de taxa Selic mais baixa.

## FUNDOS IMOBILIÁRIOS

São fundos de investimento voltados aos empreendimentos do setor imobiliário. Dividem-se em fundos de tijolos (construção ou locação de imóveis) ou fundos de papel (investimento em aplicações financeiras do setor imobiliário). Ao investir em uma cota do fundo imobiliário de tijolo, do segmento de shoppings, por exemplo, você está adquirindo uma pequena fração do imóvel (shopping) e recebe os rendimentos por ele gerados, proporcionais à sua quantidade de cotas.

## FUNDOS MULTIMERCADO

Aplicações que têm como um dos principais atrativos a liberdade de investimento. Isso acontece porque eles são compostos por diferentes ativos, podendo mesclar investimentos diversos, como ações, CDBs, títulos públicos ou privados, câmbio e derivativos.

# G

## GOVERNANÇA CORPORATIVA
Conjunto de práticas que têm por finalidade otimizar o desempenho de uma companhia, ao proteger todas as partes interessadas. Envolvem princípios como transparência, equidade e prestação de contas, de modo a assegurar que as ações dos executivos estejam sempre de acordo com o interesse dos acionistas.

## GRUPAMENTO (INPLIT)
É a operação contrária ao desdobramento. Durante um inplit, temos a redução do número de ações e o aumento de seu preço. O grupamento costuma ocorrer quando a empresa está com ações negociadas a valores muito baixos e deseja deixar de ser uma penny stock, em razão de todas as implicações deste fato. Exemplo: vamos supor que um investidor tenha mil ações ao preço de R$ 0,20 cada, totalizando o valor de R$ 200,00. Se a empresa decidir fazer um inplit, agrupando dez ações em uma, o investidor passará a ter cem ações ao preço de R$ 2,00 cada, mantendo, assim, o mesmo valor de R$ 200,00.

# H

## HEDGE
Estratégia operacional para proteger a carteira ou uma determinada posição de investimentos.

## HOME BROKER
É a plataforma on-line disponibilizada pelas corretoras de valores para que os investidores efetuem suas operações de compra e venda de ativos.

# I

## IBOVESPA
Popularmente conhecido como Ibov, é o principal indicador de desempenho das ações negociadas na B3 e reúne as empresas com maior representatividade no

volume diário negociado na Bolsa de Valores. Reavaliado a cada quatro meses, o índice é resultado de uma carteira teórica de ativos. É composto pelas ações e units de companhias listadas na B3 que atendem aos critérios descritos na sua metodologia, correspondendo a cerca de 80% do número de negócios e do volume financeiro do nosso mercado de capitais.

## INFORME TRIMESTRAL DE RESULTADOS (ITR)

Apresenta o resultado trimestral obrigatório das empresas listadas em Bolsa de Valores.

## INITIAL PUBLIC OFFERING (IPO)

A sigla IPO significa Oferta Pública Inicial e corresponde à primeira venda de ações da empresa ao público e também ao ingresso desses ativos no mercado.

## INTANGÍVEIS

Ativos imateriais, não corpóreos, tais como marcas e patentes, softwares etc.

# J

## JUROS SOBRE O CAPITAL PRÓPRIO (JCP)

Uma forma de remuneração ao acionista, com base nos lucros retidos da empresa e aplicados em projetos de investimento. À medida que esses projetos geram resultados, a empresa é obrigada a pagar JCP sobre esse valor aos acionistas. Mas ela só pagará se o projeto apresentar rentabilidade. Caso contrário, não há exigência de pagamento.

# L

## LEILÃO

Ocorre quando as ações saem do pregão, porém continuam em negociação em um sistema fechado de ofertas de compra e venda, em que as negociações só ocorrem quando uma ordem de compra tem em contrapartida uma ordem de venda no mesmo valor. Também ocorre em ocasiões em que a volatilidade do preço das ações ultrapassa 10% de alta ou de baixa. É um mecanismo automático para regular as oscilações do mercado de capitais.

# M

## MARGEM
Representa o valor depositado na Bolsa ou em forma de ações ou títulos para garantir operações de risco e com alavancagem de capital. Os valores são definidos pela B3, com base na liquidez e na volatilidade das operações.

## MARKET CAP
Valor de mercado da empresa. É calculado a partir do preço da ação multiplicado pelo número de ações.

# N

## NECESSIDADE DE CAPITAL DE GIRO
Recurso que a empresa necessita para financiar suas atividades operacionais no curto prazo. Dinheiro utilizado na aquisição de estoque, pagamento de fornecedores e espera no prazo de recebimento de clientes.

## NOTA DE CORRETAGEM
Documento emitido pelas corretoras como comprovação de compra ou venda de ativos por parte de um investidor. Nessa nota constam todas as informações da negociação, como valor negociado, quantidade de cotas e taxas.

# O

## OFERTA PÚBLICA DE AQUISIÇÃO (OPA)
São mudanças significativas no controle da empresa, que podem ser voluntárias (como no caso de aumento da participação de um sócio ou o ingresso de um novo sócio) ou obrigatórias (como quando ocorre o fechamento de capital de uma empresa).

## OPÇÃO
É um tipo de instrumento financeiro em que é negociado um direito de compra ou venda, válido por um determinado período. Temos o titular, que possui o direito, e o lançador,

que possui a obrigação. As opções são derivativos, ou seja, derivam de um ativo-base e podem ser utilizadas como instrumentos de hedge (proteção) ou para fins de especulação.

## ORDEM
É a informação que mandamos para a corretora por meio do home broker. É por ela que realizamos a compra e venda de ativos.

## ORDEM A MERCADO
É um tipo de ordem limitada agressora, ou seja, que agride a melhor oferta no book e é executada no melhor preço do momento.

## ORDEM LIMITADA (LIMITE)
É a ordem-padrão de qualquer home broker. Nela, o investidor define um limite de preço para que a sua operação seja executada.

## ORDEM OCO
Essa é a ordem-cancela-ordem, muito usada por traders. Ordem criada em conjunto, em que apenas uma operação é executada, cancelando automaticamente a outra.

## ORDEM STOP
Nessa ordem, o investidor tem a opção de programar previamente um preço como parâmetro, que, ao ser atingido, dispara uma ordem que pode ser de compra ou de venda. O preço de referência é chamado de preço de disparo.

# P

## PAYOUT
Mostra o quanto de lucro da empresa vai para o acionista e o quanto fica na empresa. Representa o percentual de dividendos pagos.

Se a empresa apresentar payout de 0,25, isso significa que ela paga o mínimo exigido por lei (ou seja, 25% de dividendos) e detém 75% do lucro.

Payout = (valor dos dividendos por ação/LPA)*100

Observação importante: geralmente, empresas com payout baixo estão preocupadas com crescimento e empresas com payout alto são mais maduras e distribuem mais dividendos.

## PREÇO SOBRE LUCRO (P/L)

Indica em quanto tempo você irá recuperar o investimento em forma de lucro. É a relação entre o preço da ação e o lucro que essa ação gera.

P/L = cotação do ativo/LPA

Quanto menor for o resultado, melhor.

## PREÇO SOBRE VALOR PATRIMONIAL (P/VP OU P/VPA)

É a relação do preço da ação com o seu valor patrimonial. Indicador que mostra o quanto de ágio paga-se por uma ação. Quando o valor é 1, isso quer dizer que se paga o que vale a empresa, pois preço e valor patrimonial são iguais. Valores acima de 1 indicam ágio, e aqueles abaixo de 1 mostram que há deságio.

P/VP = cotação da ação/valor patrimonial da ação

Quanto menor for o resultado, melhor.

## PRICE SALES RATIO (PSR)

Termo em inglês para índice de preços sobre vendas. Representa uma razão entre o preço da ação e a receita líquida por cada ação. Mostra quantas vezes o preço da ação está acima de sua capacidade de geração de receita.

PSR < 1 → o mercado precificou a ação abaixo de sua capacidade de gerar resultados.

PSR > 1 → mostra ágio nessa precificação.

A fórmula é: PSR = cotação da ação/(receita líquida/quantidade de ações)

## POSITION TRADE

Tipo de operação em que o objetivo é aproveitar boas oportunidades em tendência de alta ou baixa e manter-se na operação até que um sinal de reversão da tendência se mostre. Definem-se pontos de stop de compra e de venda.

## PROVENTOS

Remuneração ao acionista, que pode ocorrer na forma de dividendos, JCP, bonificações e direitos de subscrição.

**PUT**
São tipos de opções de venda. Portanto, quem compra uma opção do tipo put está comprando um direito de vender um ativo por um determinado preço, em uma determinada data.

## Q

**QUANTITATIVE ANALYSIS**
Termo em inglês para "análise quantitativa de ativos". Técnica que associa conhecimentos de matemática e estatística para desenvolver modelos e prever comportamentos das ações no mercado de capitais.

## R

**RATEIO**
Decorre da insuficiência de títulos em uma emissão em relação à quantidade de reservas feitas. Assim, acontece uma distribuição proporcional à solicitação e à quantidade de títulos disponíveis.

**RATING**
São as notas de crédito emitidas por agências de classificação de risco, classificando a qualidade de crédito de uma empresa.

**RECEITA**
Representa a entrada de dinheiro.

**RELEASE**
Apresenta de forma simplificada os principais destaques do resultado da empresa.

**RENDA ATIVA**
Receita oriunda da atividade, em que se troca tempo e esforço por remuneração. Exemplos: salário, vendas autônomas, prestação de serviços etc.

**RENDA PASSIVA**
Receita oriunda de investimentos realizados, sem a necessidade de emprego de tempo ou esforço para que haja o recebimento dos valores. Exemplos: aluguéis, juros, rendimentos de aplicações, proventos etc.

**RENDA VARIÁVEL**
Investimentos cujo resultado não é garantido antecipadamente, podendo

variar para cima ou para baixo durante o período de aplicação dos recursos. Não existe garantia de lucro.

**RETURN ON ASSETS (ROA)**
Significa "retorno sobre o ativo". Mostra a capacidade de retorno que a empresa é capaz de gerar frente aos seus ativos.

ROA = (lucro líquido/ativos totais)*100

Quanto maior o resultado, melhor.

**RETURN ON EQUITY (ROE)**
Termo em inglês para "retorno sobre o patrimônio líquido". Representa o quanto uma empresa gera de lucro sobre o investimento dos acionistas. Mede a eficiência da empresa em relação ao capital próprio

ROE = (lucro líquido/patrimônio líquido) *100

Quanto maior o resultado, melhor.

**RETURN ON INVESTED CAPITAL (ROIC)**
Significa "retorno sobre o capital investido". Mostra o retorno sobre todo o capital da empresa, tanto capital próprio quanto de terceiros. É utilizado para apontar o desempenho financeiro da empresa.

ROIC = (lucro líquido - dividendos pagos/capital total investido)*100

Quanto maior o resultado, melhor.

# S

**SEGMENTOS**
Criados para adequar e classificar os diferentes tipos de empresas, de acordo com o seu perfil. Cada um deles tem as suas particularidades e classificações.

**SETORES**
Os setores representam o ramo de atividade de uma empresa, suas características e peculiaridades. Exemplos: petróleo, gás e biocombustíveis, energia elétrica etc.

**STOP**
Medida de segurança que o investidor tem ao operar na

Bolsa de Valores. Stops têm como função definir a perda máxima tolerada (stop loss) e o lucro almejado (stop gain).

## STOP GAIN

É um mecanismo utilizado por investidores na Bolsa de Valores para vender automaticamente uma ação caso a sua cotação cresça e atinja um determinado valor, definido no ato de compra do papel, garantindo o ganho.

Exemplo: vamos supor que você comprou uma ação a R$ 30,00 e deseja lucrar R$ 10,00. Assim, você coloca seu stop gain em R$ 40,00, e, quando esse ativo alcançar esse preço, será realizada a venda.

## STOP LOSS

É uma ordem automática de venda que você pode programar na sua corretora, ao investir no mercado de ações. Este recurso é usado para mitigar riscos e consiste em uma reação a possíveis perdas, determinando o ponto de parada da perda.

Exemplo: você comprou uma ação a R$ 10,00. Porém, o mercado passou por um período de instabilidade, e, depois de uma análise de riscos, você resolveu colocar o stop loss em R$ 8,00. Assim, se o preço desse ativo atingir esse valor, você realizará a venda, limitando seu prejuízo a R$ 2,00.

## SUBSCRIÇÃO

É um evento que ocorre quando a empresa pretende aumentar o seu capital em Bolsa e concede um direito de preferência aos acionistas atuais, para que possam participar do processo de aquisição dessas novas ações, mantendo, assim, seu percentual de participação na empresa. Além do processo de subscrição de ações, existe também a subscrição de fundos imobiliários, que ocorre quando um fundo deseja aumentar o seu capital para investimentos e emite novas cotas, dando o direito de preferência para os atuais cotistas adquirirem essas cotas.

## SWING TRADE

Tipo de operação de curto prazo, geralmente dias ou semanas, que ocorre com alvo determinado para ganho e perda. As posições são baseadas na análise técnica para definir os alvos.

## T

### TAG ALONG
Direito dado aos acionistas minoritários, possuidores de ações ordinárias, de vender suas ações por pelo menos 80% do valor pago aos acionistas majoritários, na ocasião de transferência do controle da empresa, de acordo com o nível de governança listada na B3.

### TAXA DE ADMINISTRAÇÃO
Percentual pago pela prestação de serviços de gestão e administração de um fundo de investimento.

### TAXA DE CARREGAMENTO
Taxa cobrada em previdência privada. A taxa de carregamento incide sobre cada depósito que é feito no plano. Ela serve para cobrir despesas de corretagem e administração.

### TAXA DE CORRETAGEM
A taxa de corretagem é uma quantia que as corretoras de valores cobram por cada negociação de compra e venda de ativos na Bolsa de Valores. Pesquise corretoras com taxa de corretagem zero.

### TAXA DE CUSTÓDIA
Taxa cobrada pelas instituições financeiras por "cuidarem" do seu investimento. No Tesouro Direto, só é cobrada para investimentos acima de R$ 10 mil. Para ações, é cobrada diretamente pelas corretoras. Hoje em dia, a maioria das corretoras não faz mais esta cobrança.

### TAXA DE PERFORMANCE
Essa taxa é cobrada sobre a parcela da rentabilidade do fundo que exceda a variação de um índice de referência previamente determinado. Por exemplo, se o CDI hoje está em 7,65% ao ano e o fundo de investimento atrelado ao CDI trouxe uma rentabilidade de 12%, pode haver cobrança de taxa de performance, caso esteja prevista no regulamento do fundo.

### TRADE
Operação de compra e venda (ou venda e compra) com o objetivo de obter lucro na

diferença de preço (ver *day trade* e *swing trade*).

**TRADER**
É o profissional que opera fazendo trade.

## U

**UNITS**
Identificadas pelo número 11, concentram duas ou mais ações de uma mesma empresa. Conhecidas também como depósito de ações, elas são compostas por ações ordinárias (ON) e ações preferenciais (PN).

## V

**VALUATION**
É o termo em inglês para avaliação de empresas. Por esse processo, determinamos quanto vale a empresa e, com isso, conseguimos achar o que chamamos de seu preço justo ou valor intrínseco.

**VALUE INVESTING**
É uma estratégia de investimento que acredita no potencial de valorização das empresas no longo prazo e não em seu preço no mercado. É o investidor de valor, que procura as discrepâncias entre preço e valor, ou seja, a margem de segurança.

**VOLATILIDADE**
Medida de dispersão de preços, geralmente associada a risco. Indica as oscilações no preço de um ativo dentro de um determinado período de tempo.

## W

**WEIGHTED AVERAGE COST OF CAPITAL (WACC)**
Custo médio ponderado de capital. Normalmente utilizado para compor o custo de capital da empresa na realização de precificação.

Direção editorial
*Daniele Cajueiro*

Editora responsável
*Janaína Senna*

Produção editorial
*Adriana Torres*
*Júlia Ribeiro*
*Mariana Oliveira*

Pesquisa e tratamento de texto
*Cristiane Donini*

Apoio técnico
*Carolina Oliveira Serpa*
*Cristina Kobata*
*Hellen C. Almeida Kato*
*Miguel Martello*

Revisão
*Allex Machado*
*Daniel Dargains*
*Luiz Felipe Fonseca*
*Marina Góes*

Projeto gráfico de miolo e diagramação
*Larissa Fernandez*
*Leticia Fernandez*

Este livro foi impresso em 2023,
pela Corprint, para a Agir.